KU-689-656

家庭烤箱食譜

梁淑嫈◉著

前　　言

　　近年來，隨著生活品質的提高，國民飲食習慣已有大幅度的改變，爲因應追求速度和效率的現代化生活，各類西式食品已成爲主流，國人的胃口也因而能適應更多樣的口味。

　　儘管市售食品繁多，却因濫用添加劑，以迎合消費慾望，以致不但影響了食品的營養度、新鮮度、甚至危害人體健康。

　　目前，廚房電器用品應有盡有，主婦們在家就可以做出衛生又可口的餐點。然而，由於學習使用這些科技化產品的資訊不夠普遍，可供參考的食譜又很缺乏；以多數家庭都擁有形式不同的烤箱來說，往往因無法發揮物盡其用，而終成爲廚房中的裝飾品，殊爲可惜。

　　爲此，我特從日常教學中精選實用、簡單的食譜，並儘可能採用天然食品，把食品添加物減到最低的程度，編成西點、中點、中西菜三大類，配合分解圖片解說，使您一目了然，輕鬆自在的提供全家人健康可口的食品。做一個盡責的主婦，同時並使自己享受到從事烹飪藝術的快樂。

　　希望此書的問世，能迎合實際需要，並藉此與大家互相研究，期能有更好的成果回饋社會，以及報答所有協助此書誕生的朋友。

　　在此更感謝曾肇南先生，由於他的協助，使本書更臻完美。

梁淑英　謹識

1986年8月31日於台北

　　梁淑娈，台灣彰化縣人，生於民國四
十三年，省立彰化高級商業學校美術設計
科畢業。

　　由於接觸食譜編輯工作，引發了對西
點的偏愛，而向各地名師學習西點與中點
的烹飪。並於民國七十年開始從事烹飪教
學，七十二年創辦「利婦西點教室」，並
經常應邀遠東百貨公司的媽媽教室、天主
教聖家堂……等地教授中、西點的製作，
並曾多次出國學習與教學，七十五年赴新
加坡應聘 S. W. COOKING SCHOOL 任
教。

　　著有 THE WONDERFUL WORLD
OF COOKING BY DEMEYERE 及
TURBO BOILER COOK BOOK 及《
家庭烤箱食譜》、《中菜微波食譜》、《
家常微波食譜》。

目　錄

中、西菜

中點：

 巧婦烹飪中心

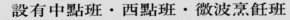

設有中點班・西點班・微波烹飪班

由本書作者梁淑嫈女士親自教學，如有任何製作上之問題，
也歡迎隨時來電詢問。＊本中心備有中、西點材料及工具零售。

以下爲全省各地西點材料商電話，供您參考：

基隆市：華食品 (02)4319706	羅東鎮：裕　順 (039)543429	台南市：上　輝 (06)2971725
台北市：同　燦 (02)5578104	台中市：利　生 (04)3254339	高雄市：薪豐行 (07)7213413
得　榮 (02)5557162	彰化市：永　誠 (04)7243927	澎湖縣：永　誠 (069)263381
桃園市：曾政義 (03)3605149	員林鎮：信　通 (04)8354066	金　門：新　海 (082)333319
中壢市：桃　榮 (03)4221726	草屯鎮：順　興 (04)9333455	屏東市：屏　芳 (08)7526331
新竹市：新勝行 (035)388628	嘉義市：新瑞益 (05)2224263	台東市：玉　記 (089)326505
宜蘭市：隆大興 (039)323532	雲林縣：永　誠 (05)6327153	

巧婦烹飪中心　地址／台北市松山路319號2F　敎學專線／(02)7623432

烤箱的種類

●OVEN TOASTER烤麵包機

這種烤箱的設計是爲了取代烤麵包機兼具烤箱的形態而設計的，機內裝有上、下兩根石英電熱管，另有 15 分鐘的定時開關，空間小使用的範圍較小，它適合熱麵包、土司、烘焙肉片、肉串，餅乾或體積較小的西點。

●OVEN電氣烤箱

這種烤箱最爲普遍，各種廠牌的功能設計上變化也多，內容積適中，具 60 分鐘定時器，操作便利，有的還具有發酵開關，使用在發酵過程上能節省部份時間，箱內裝設上下兩套電熱管，溫度的散發較爲理想，部份機種設有上、下兩段切換開關，控制火候時較爲方便，但是有的烤箱在溫度設定開關的刻劃上，不以度數顯示，却以數字，或其他的方式標示，各類的設計在使用上就必須先以溫度計測試各種溫度的位置加以標示，使用時才不至於失誤。

●CONVECTION OVEN對流烤箱

對流烤箱是以熱風循環的方式設計，溫度由風的傳送，散佈均勻，烘焙的食物顏色均勻一致，上下分離式的設計清洗容易，下面採用瓷盤代替傳統式的鐵製外殼，保溫能力強，所以較省電，的確是一部理想的烤箱，但是瓷盤的使用要特別謹慎，否則容易破裂，缺少定時裝置較爲煩惱，得必須另外準備一個定時器，烘焙時才不致失誤。

●MICROWAVE／OVEN微波爐

微波爐有兩種裝置，近年來市面上推出一種簡易形的微波爐，它除了具有微波烹飪的功能外，無法用作烘烤使用，有烘烤裝置的可以用來當一般烤箱使用，但是當您使用時應注意隨機附送的使用說明書上的規定。

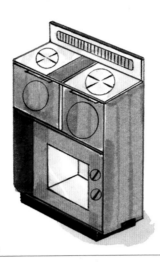

●GAS OVEN瓦斯烤箱

此類烤箱著重於一機多功能，且能搭配廚房的裝飾而設計，多屬於大型落地式，能源的設計用瓦斯、也有用電的設計，烤箱部份的內容積比其他的烤箱大，使用瓦斯作為能源費用較為低廉，但是使用時應在非煮飯的時間，以免因供氣瓦斯壓力不足時，溫度控制常會低於所需的溫度，這種烤箱保養時應常清理火孔，以免堵塞而影響烘焙效果。

除了上述幾種烤箱外，還有許多其他類型的烤箱及烤具沒有介紹，我們只不過以多數人的反應歸類，介紹較為普遍的機種供您參考。至於烤箱的選擇，應以實用、經濟為原則，而烤箱是否耐用，則完全需要看使用者的保養程度。

烤箱的正確使用方法

● 預熱

在烘烤食物之前，均應先將烤箱加溫預熱，先行預熱可使烤箱中的溫度散佈均勻，食物的烘焙受溫性平均，效果才會更加理想。

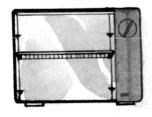

● 位置的選擇

任何廠牌的烤箱均有高、低架位的設計，烘焙時需依食物的大小與受溫性選擇適合的位置，才不會造成食物一面已經焦了，而另一面還未熟的情形。

● 溫度控制

溫度的選擇是依據食物的體積與特性為基礎，溫度與時間恰成反比，時間太長溫度則不宜太高。
肉類的烘焙應採低、高溫混合使用為宜。
西點的烘焙則採低溫烘焙最為理想。

● 時間的設定

所需時間的長短，除了需依食物的特性與體積為準外，對於食物的熟度仍應以基本的測試法來判斷。

● 烘焙過程

烘焙時不可經常的開啟箱門，因為開啟箱門會使箱內的溫度大量流失，溫度的補充需要較長的時間。烘焙西點會因溫度的流失而影響發性的效果。

● 安全

烤箱所需電流較大，當使用時切勿與其他電器使用同一插座，以免插座的負荷超過，發生意外，烤箱在使用時機體的溫度很高，應避免用手直接的接觸機體，以免燙傷，拿取烘焙中的食物應戴防熱手套。

● 保養

基於衛生的理由，使用後應將內部清理乾淨。烘烤肉類後應將濺於箱壁的油脂擦拭乾淨，油垢長期的堆積極易引起燃燒。

西　點

西點工具
與材料的介紹

● 秤

對於西點與中點的製作，精確的秤量是成功的要素之一。秤的種類繁多，通常選秤應選1～2公斤為佳，至於分割的刻度，則愈精細愈好。

● 攪拌器

由鐵線圈和長柄組成，是用手來攪拌較稀的材料，但它不適合攪拌較硬的麵糰。
選擇時應選不銹鋼製品為佳。

● 量杯

市售的量杯有玻璃及鋁兩種製品，玻璃製品看的清楚，但質重易碎，鋁製品輕巧耐用。
容量：
乾量1杯＝16大匙
液量1杯＝$\frac{1}{2}$品脫

● 橡皮刀

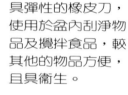

具彈性的橡皮刀，使用於盆內刮淨物品及攪拌食品，較其他的物品方便，且具衛生。

● 量匙

一套4支，分別為1大匙、1茶匙、$\frac{1}{2}$茶匙、$\frac{1}{4}$茶匙，一大匙＝3茶匙。通常秤量少於10公克的物品都以量匙量之，量的方法，應先以量匙裝滿，再用刮刀刮平為準。

● 麵刀

麵糰的製作與分割，使用麵刀操作十分方便，市面上有不銹鋼及塑膠兩種製品，供您選擇。

● 篩子

麵粉與糖粉受潮時容易結塊，所以必須用篩子篩除粉塊，尤其製作蛋糕，篩過的麵粉所烘焙的蛋糕較為鬆軟。

● 抹刀

用於挖取奶油或蛋糕裝飾時，塗抹鮮奶油時用。市面上有鐵皮及不銹鋼兩種，應選擇不銹鋼，彈性好的為宜。

● 切刀

切刀的種類很多，一般家庭只需準備三種即可，起酥輪、圓切刀、鋸齒刀。

● 擀杖

作派皮、餅乾、麵包擀麵糰時使用，家庭用理想的長度是 45 公分的木製品。

● 倒扣架

用於剛出爐的蛋糕倒扣時的支架，採用鐵線製成，每次使用後應將殘留的蛋糕屑清理乾淨。

● 擠花袋、擠花嘴

花口的適用範圍很廣，蛋糕的裝飾、餅乾的擠花以及泡芙都可用到。擠花袋市售有現成的，但也可用牛皮紙自己製作。

● 刷子

在麵包、餅乾上刷蛋黃液或果醬類的液體時使用，選購柔軟且不易脫毛的毛刷為宜。

● 轉盤

裝飾蛋糕所必備的工具之一，市面上有鐵製及木製品，價格都不便宜，家庭用也可用餅乾盒或盤子代替。

● 烤模

烤模的種類很多，有蛋糕模、活動布丁模、派盤、土司烤模……等。烤模的製品有不銹鋼及鋁製品，不銹鋼製品受熱慢，烘焙的時間長。鋁製品受熱快，烘焙的時間短，所以應選用鋁製品較宜。

西點
材料的介紹

好品質的材料，才能製作出健康的食品

● 麵粉

分高、中、低筋三種，高筋適合做麵包使用，中筋在西點方面較少使用，中點使用較多，低筋在西點方面使用很多，麵粉的保存應注意防止受潮。

● 蛋

蛋的選擇必須新鮮，冰過的蛋最好不要使用在西點方面，蛋的挑選不宜太大，以免蛋白的比例太多，影響製作的品質。一個蛋連殼約 60 公克，去殼後蛋黃重 15～18 公克、蛋白約 30 公克。

● 泡打粉

是重碳酸鹽和氧化劑的自然混合物，它能使蛋白或蛋黃在攪拌時產生空氣，使烘焙的蛋糕膨鬆脹大，通常都與麵粉混合篩過後使用。

● 香草片

香草味能去除蛋腥味，且能增加蛋糕的香味，香草片應先磨成粉才能使用，香草精經過濃縮，使用時份量不可太多。

● 糖

特細粒砂糖：質細溶解容易，適合製作蛋糕時使用。

糖粉：由砂糖再研製而成，市面上有兩種，一種加有玉米粉，較不易結塊狀，但是甜度較低，純糖未加玉米粉的則易結塊，甜度較高，但使用時需先壓碎。

● 玉米粉

由玉米製成，用來做布丁餡，冷却後會呈乳脂狀，玉米粉適用的範圍廣，營養價值也高。

● 奶水

奶水有動物油脂及植物油脂兩種，動物油脂味香、價格高，植物油脂味淡、價格便宜。購買時應注意製造日期，開罐後應收藏於冰箱內冷藏，以免變質。

● 吉力丁

它屬膠質，與洋菜類似，若用冰水溶

化則會漲至三倍，吉力丁有兩種，薄片狀不硬使用容易，但秤量較困難且易浪費，粉狀的使用容易，份量的控制較準確，價格便宜。

● 白油

以椰子油爲主的植物性固體油脂，不含膽固醇，對身體有益，除西點製作使用外，炸雞或炒菜別有一番風味。

● 蘭姆酒

以甘蔗提煉而成的水菓酒，味道香醇，價格便宜，使用在西點的製作最爲理想。

● 鮮奶油

動物性鮮奶油含有47％的高脂肪及40％的低脂肪兩種。
植物性鮮奶油主要成份是以棕櫚油及玉米糖漿製成，屬純植物性，最適合營養過剩的人。

● 食用色素

色素有液狀與粉狀兩種，通常是以紅、藍、黃、綠四色爲主體，液體色素可直接使用，粉狀的則需先用水調開才能使用。

● 酵母

有乾酵母與新鮮酵母兩種，乾性較易保存，冷藏可保存1年，使用時調以溫水。新鮮酵母保存時限較短，必須冷凍保存，份量的使用則是乾性酵母的兩倍。

● 杏仁

杏仁果有切片、切角、杏仁粉、杏仁糊等，杏仁糊是用杏仁粉和糖混合而成，若沒現成品時，可用100公克杏仁粉與100公克的糖加上1個蛋白攪拌即可代替。

● 起酥油

它使用在酥、脆方面西點較爲適合，含動物油脂及鹽份較高，價格比牛油便宜。

● 奶油乳酪

乳酪加工後的種類最多，營養價值高，奶油乳酪屬於新鮮乳酪，沒有加味，專供西點使用。

● 牛油

分爲無鹽與有鹽兩種，通常鹽份超過2％的牛油就不適合製作西點使用。

● 巧克力

種類很多，純的巧克力含很多可可亞奶油，溶化時溫度不可超過60℃，否則會變脆。甜的巧克力屬眞正的糖。烤的巧克力是無味的，還帶有苦味。巧克力米是用來裝飾蛋糕時使用。

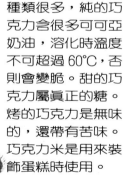

材料：

低筋麵粉 110 公克

蛋 300 公克

沙拉油 $\frac{1}{4}$ 杯

細砂糖 150 公克

奶水 $\frac{1}{4}$ 杯

香草片 3 片

泡打粉 $\frac{1}{4}$ 茶匙

①香草片磨成粉狀。

②將麵粉、泡打粉、香草片混合。

③一起篩過。

④將糖分成兩份： $\frac{1}{3}$ 一份、 $\frac{2}{3}$ 一份。

⑤蛋白、蛋黃分開，要分乾淨。

⑥蛋黃加入 $\frac{1}{3}$ 糖拌勻。

⑦再加入奶水拌勻。

⑧再加入麵粉拌勻。

⑨再拌入沙拉油。

⑩蛋白打至稍起泡。

⑪將剩餘 $\frac{2}{3}$ 糖加入繼續打。

⑫打至蛋白挺硬。

⑬加入拌好之麵糊內。

⑭攪拌均勻。

⑮取用活動圓形烤模。

⑯若用固定方形烤模,則須舖
上一張薄紙。

⑰將蛋糕糊倒入模子內。

⑱以橡皮刀抹平。

⑲方形烤模則須注意四個角落
都要抹平。

⑳以攝氏 129°(華氏 250°)烤 50
分鐘後,改攝氏 149°(華氏
300°)烤 10 分鐘。

㉑將蛋糕取出,用力敲兩下,使
內部組織鬆亂,才不會下陷。

㉒立刻以倒扣架將蛋糕倒扣,
使其組織拉鬆,待涼。

㉓將蛋糕取出。

17

鮮奶油蛋糕之裝飾

材料：

戚風蛋糕一個

鮮奶油$\frac{1}{3}$瓶

水蜜桃 4 片

蘭姆酒少許

①鮮奶油以打蛋器打發。

②夏天可在盆子底下置一盆冰水打。

③將涼透的戚風蛋糕切成三片。

④初學者可以牙籤插刺四周，順著牙籤切，不致切歪。

⑤噴上蘭姆酒。

⑥水蜜桃切薄片。

⑦先在底層上方塗上鮮奶油，抹平。

⑧鋪上水蜜桃。

⑨再蓋上鮮奶油。

⑩將第二層蛋糕蓋上，塗上鮮奶油，放上水果。

⑪蓋上最頂層，先將周圍抹上鮮奶油。

⑫再將頂層塗上鮮奶油。

⑬蛋糕四周，可以三角形的梳狀塑膠片刮邊緣。

⑭以抹刀伸進蛋糕底部，輕輕抬起蛋糕，再將手伸入，即可將蛋糕拿起。

⑮也可以巧克力米沾在旁邊裝飾。

⑯也可以鮮奶油擠花裝飾。

⑰頂部裝飾，則可依個人喜愛水果裝飾，如奇異果、草莓、水蜜桃等。

全蛋式海綿蛋糕

材料：
蛋黃 2 個
全蛋 4 個
細砂糖 150 公克
低筋麵粉 130 公克
沙拉油 $\frac{1}{4}$ 杯
鹽 $\frac{1}{4}$ 茶匙

①蛋黃與全蛋放入盆內，加糖打發。打至膨脹約 3 倍以上。

②放入篩過之麵粉、鹽，以手輕輕拌勻。

③再加入沙拉油拌勻後，倒入烤模內，其餘烤法皆與戚風蛋糕同。

擠花袋作法：
取一張白報紙或牛皮紙即可自行製作。

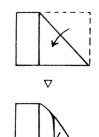

鮮奶油蛋糕

材料：（8 吋）

低筋麵粉 110 公克　　　蛋 300 公克　　　　　奶水 $\frac{1}{4}$ 杯

香草片 3 片　　　　　　泡打粉 $\frac{1}{2}$ 茶匙　　　　沙拉油 $\frac{1}{4}$ 杯

細砂糖 150 公克　　　　水蜜桃、櫻桃適量　　　鮮奶油 2 杯

作法：

1. 香草片壓成粉末，與麵粉、泡打粉混合篩過(圖 1)。
2. 蛋白與蛋黃分開在不同的碗內。
3. 將蛋黃與 $\frac{1}{3}$ 糖拌勻，加入奶水拌勻，將麵粉加入拌勻，再加上沙拉油拌勻(圖 2)。
4. 用打蛋器將蛋白打至起泡，再將 $\frac{2}{3}$ 糖倒入蛋白內，打至蛋白挺硬(圖 3)。
5. 打好之蛋白倒入蛋黃內，拌勻(圖 4)。
6. 麵糊倒入烤模內，以 121°C(250°F)烤約 50 分鐘，待蛋糕呈金黃色後，以 149°C(300°F)再烤 10 分鐘即可。
7. 待蛋糕涼透後取出，抹上鮮奶油。(蛋糕之裝飾請參照 18 頁)

巧克力蛋糕

材料：

巧克力粉 20 公克　　　蘇打粉 $\frac{1}{4}$ 茶匙　　　蛋 300 公克

低筋麵粉 90 公克　　　泡打粉 $\frac{1}{4}$ 茶匙　　　奶水 $\frac{1}{4}$ 杯

細砂糖 150 公克　　　　沙拉油 $\frac{1}{4}$ 杯　　　　香草片 3 片

作法：

1. 低筋麵粉與巧克力粉、香草片(磨成粉)、泡打粉、蘇打粉混合篩過，要篩二次。(圖 1)
2. 其餘作法與鮮奶油蛋糕同。(蛋糕裝飾請參照 18 頁)

巧克力奶油材料、作法：

無糖巧克力 50 公克　　　　糖 40 公克　　　　鮮奶油 1 杯

1. 準備一盆子，內放 50°C 的熱水，再準備一個盆子內放切碎的巧克力。
2. 將巧克力放在熱水上隔水加熱(圖 2)，並加入糖，至糖與巧克力都溶化時取出，放入鮮奶油，攪拌至奶油狀(圖 3)即可。

巧克力片材料、作法：

甜巧克力 50 公克　　　　無糖巧克力 10 公克

1. 將甜巧克力與無糖巧克力以 60°C 的熱水隔水加熱(圖 4)至溶化。
2. 準備直徑約 3 公分之塑膠圓模，塗上淡淡的白油，將巧克力漿倒上薄薄的一層，放入冰箱冰約 20 分鐘取出即可。

乳酪蛋糕(一)

材料：

8 吋海綿蛋糕 1 個
乳酪 250 公克
牛油 30 公克
蛋黃 2 個
鹽 $\frac{1}{4}$ 茶匙

鮮奶油 30 公克
玉米粉 24 公克
蛋白 60 公克
糖 90 公克

作法：

1. 先將玉米粉過篩與蛋黃、鮮奶油混合備用（圖 1），再把乳酪、牛油、鹽及 30 公克的糖打發（圖 2），再慢慢的加入蛋黃液拌勻。把蛋白打硬，糖則分 3 次加入，打硬後加入乳酪液拌勻（圖 3）。
2. 取一不活動的蛋糕模，在底部及四周鋪上白紙，將 $\frac{1}{3}$ 片的 8 吋海綿或戚風蛋糕放在烤模內，再把拌勻的材料倒入（圖 4），抹平後置於烤盤上，並加 3 大杯熱水於烤盤內，放進烤箱適當位置，以 121℃（250°F）烤 70～80 分鐘。
3. 烤熟後取出烤模，但需待它自然冷卻後才可將蛋糕取出。

乳酪蛋糕(二)

材料：

奶油乳酪 150 公克
蛋黃 1 個
水 3 大匙

鮮奶油 $\frac{1}{2}$ 杯
檸檬 $\frac{1}{2}$ 個
戚風蛋糕 1 片

砂糖 60 公克
吉力丁 1 大匙

作法：

1. 將新鮮乳酪與糖混合打發（圖 1），加入檸檬綠皮與檸檬汁打勻後，再將蛋黃混合打勻。
2. 吉力丁加溫水調開後，待稍涼，調入打好的乳酪內。
3. 鮮奶油以打蛋器打好後，輕輕拌入乳酪內調勻（圖 2），放入圓模內（圖 3），再將蛋糕放在上面（圖 4），用手輕壓蛋糕，至蛋糕與乳酪平齊，放入冰箱冷藏約 1 小時以上。

●欲取出乳酪蛋糕時，以溫水浸泡一下圓模，即可取出。

小藍莓蛋糕

材料：

戚風蛋糕 1 片　　　　糖 30 公克
小藍莓(罐頭)1 罐　　　熱水¼杯
杏仁角少許　　　　　　鮮奶油 1 杯
吉力丁 1 大匙

作法：

1. 以圓切模把蛋糕扣成圓片形(圖 1)，再將吉力丁用熱水調勻備用(圖 2)。
2. 小藍莓罐頭打開後用篩子過濾，加入糖用火煮至糖完全溶化，調入吉力丁快速攪拌後離火待涼。
3. 把鮮奶油打硬，加入⅔的小藍莓汁，攪拌均勻後作奶油糊使用(圖 3)。
4. 將切好的蛋糕圓片，放進圓切模內，再將奶油糊灌在模內(圖 4)，置於冰箱內約 20 分後取出，將剩餘未拌鮮奶油的小藍莓汁淋上，再置於冰箱內至表層凝固。

桑椹蛋糕

材料：

戚風蛋糕 1 片　　　　吉力丁 1 大匙
桑椹(罐頭)1 罐　　　　糖 30 公克
鮮奶油 1 杯　　　　　　熱水¼杯

作法：

1. 桑椹用濾網過濾(圖 1)，加入糖用火煮至溶化，再調入用熱水調勻的吉力丁(圖 2)，待涼成稠狀後備用。
2. 把鮮奶油打硬，加入⅔的桑椹汁，攪拌均勻後作夾層奶油糊使用。
3. 將蛋糕切成兩片，一片塗上奶油糊(圖 3)，再蓋上另一片，並塗上奶油，置於冰箱內 20 分後取出，將剩餘未拌鮮奶油的桑椹汁淋上(圖 4)，再置於冰箱內至表層凝固。

芋泥派

材料：
芋頭 3 個（中型）
戚風蛋糕 1 片
糖 30 公克
鮮奶油 $\frac{1}{2}$ 杯

作法：
芋頭洗淨，削皮，放入鍋中蒸熟（圖 1）取出，趁熱搗爛（圖 2），加入鮮奶油及糖拌勻（圖 3）後，以粗濾網（若無粗濾網，可用家中的笊籬）直接濾在蛋糕上，再以抹刀將四周抹平，呈山丘狀（圖 4），上面再抹上鮮奶油裝飾即可。

栗子蛋糕

材料：
栗子 600 公克
牛油 80 公克
細砂糖 80 公克
海綿蛋糕 2 片

作法：
栗子加水煮至爛（圖 1），將水濾掉，趁熱搗爛後（圖 2），拌入牛油及糖（圖 3），調至稠狀，以粗濾網直接濾在蛋糕上，若家中無粗濾網，可以撈水餃之笊籬濾過（圖 4），再蓋上蛋糕將蛋糕四周修平即可。

起酥蛋糕

材料：

起酥油 100 公克　　　低筋麵粉 80 公克　　　奶水 $\frac{1}{8}$ 杯

高筋麵粉 60 公克　　　水 $\frac{1}{4}$ 杯

蛋 $\frac{1}{2}$ 個　　　　　　鹽少許

作法：

1. 草莓蛋糕 1 塊，將四邊修齊（圖 1）。
2. 低筋麵粉與 40 公克之高筋麵粉混合，加入蛋、奶水、水、鹽和勻，揉至光滑麵糰，醒約 15 分鐘。
3. 起酥油以按壓方式拌入 20 公克之高筋麵粉。
4. 醒好之麵糰包入起酥油，擀平，再以三摺法重複三次（圖 2），摺疊好後放入冰箱冰約 1 小時取出，擀成大薄片，摺疊三摺再擀（圖 3）再摺成三摺（圖 4），如此重複三次，最後擀成大薄片，將草莓蛋糕包入（圖 5），包好後連接面向下，以竹籤將外皮之四周插刺數洞（圖 6），再以起酥輪劃出整齊的斜線（圖 7），最後刷上蛋黃水（圖 8），放入烤箱，以 176°C（350°F）烤約 35 分鐘，至表皮成金黃色。

草莓蛋糕材料

蛋 480 公克　　　　低筋麵粉 176 公克　　　糖 150 公克

草莓粉 40 公克　　　沙拉油 75 公克　　　　奶水 75 公克

泡打粉 $\frac{1}{3}$ 茶匙　　　香草片 5 粒

作法：

1. 草莓粉放至奶水內溶化。低筋麵粉與磨粉之香草片、泡打粉混合篩過，蛋白、蛋黃分開；將蛋黃加入 $\frac{1}{3}$ 糖拌勻，再加入奶水拌勻，再加入篩過之麵粉拌勻後，加入沙拉油拌勻。
2. 蛋白打至起泡，將剩餘之 $\frac{2}{3}$ 糖加入，打至挺硬後拌入蛋黃液內，攪拌均勻後倒入方形烤模內，放入烤箱，以 121°C（250°F）烤約 1 小時又 20 分鐘。

波士頓派

材料：

低筋麵粉 78 公克　　　蛋 240 公克　　　　奶水 37 公克
玉米粉 10 公克　　　　細砂糖 100 公克　　沙拉油 37 公克
泡打粉 $\frac{1}{4}$ 茶匙　　　　香草片 3 片　　　　鮮奶油 1 杯

作法：

1. 低筋麵粉、玉米粉、泡打粉及磨成粉之香草片混合篩過。
2. 蛋白與蛋黃分開；將蛋黃加入 $\frac{1}{3}$ 糖拌勻，再加入奶水拌勻，再加入沙拉油拌勻後，加入篩好之粉類，攪拌成麵糊。
3. 蛋白以打蛋器打至起泡後加入剩餘之 $\frac{2}{3}$ 糖打至挺硬，拌入蛋黃糊內，攪拌均勻後，倒入派盤(圖 1)，放入烤箱，以 121°C(250°F)烤 30 分後，轉 149°C(300°F)烤 10 分鐘。
4. 烤好之蛋糕待涼，順著派盤邊緣將蛋糕切開(圖 2)，再以抹刀將剩餘之蛋糕取出，再切半，塗上鮮奶油，第二層的鮮奶油要塗山丘狀(圖 3)，再蓋上上層，灑上糖粉(圖 4)即可。

香蕉蛋糕

材料：

牛油 100 公克　　　　蛋 240 公克　　　碎核桃 $\frac{1}{2}$ 杯
低筋麵粉 120 公克　　鹽 $\frac{1}{4}$ 茶匙　　　細砂糖 100 公克
香草片 3 片　　　　　檸檬汁 1 大匙　　泡打粉 $\frac{1}{4}$ 茶匙
香蕉熟透(去皮)250 公克　蘭姆酒 1 茶匙

作法：

1. 香蕉搗爛(圖 1)，加入 1 大匙檸檬汁拌勻。
2. 低筋麵粉與泡打粉、鹽、香草片(磨成粉)混合篩過。
3. 牛油加入 $\frac{1}{2}$ 糖打發後，將蛋黃一個一個慢慢加入(圖 2)，再加入蘭姆酒調勻，放入香蕉泥(圖 3)，再拌入麵粉及核桃丁。
4. 蛋白與剩餘之 $\frac{1}{2}$ 糖打硬後，拌入麵糊內(圖 4)。
5. 取一方形烤模，抹上油，再灑上薄薄一層麵粉，將調好之麵糊倒入，上灑核桃丁，放入烤箱內，以 121°C(250°F)烤約 30 分後改 149°C(300°F)烤 10 分鐘。

核桃棗泥蛋糕

材料：

紅糖 50 公克
水 50 公克
沙拉油 $\frac{1}{4}$ 杯
鹽 $\frac{1}{4}$ 茶匙
蘭姆酒 1 大匙

蛋黃 2 個
細砂糖 50 公克
玉桂粉少許
棗泥 50 公克
高筋麵粉 125 公克

泡打粉 $\frac{1}{4}$ 茶匙
碎核桃 40 公克
蘇打粉 $\frac{1}{4}$ 茶匙
蛋白 2 個

作法：

1. 紅糖、水、沙拉油、鹽、玉桂粉、棗泥以火煮滾後待涼備用(圖 1)。
2. 麵粉與泡打粉、蘇打粉混合篩過。
3. 煮好之棗泥與麵粉混合(圖 2)，再將蛋黃加入，再將蘭姆酒、核桃拌入(圖 3)。
4. 蛋白與細砂糖打發後，放入麵糊內拌勻(圖 4)。
5. 將麵糊倒入長形之烤模中，以 121°C(250°F)烤約 40 分，再轉 149°C(300°F)烤 10 分鐘。

水果蛋糕

材料：

低筋麵粉 120 公克
蛋 240 公克
鹽 $\frac{1}{4}$ 茶匙

砂糖 80 公克
蘭姆酒 $\frac{1}{2}$ 大匙
香草片 3 片

牛油 110 公克
蜜餞 $\frac{1}{2}$ 杯
泡打粉 $\frac{1}{4}$ 茶匙

作法：

1. 低筋麵粉與泡打粉、香草片、鹽混合篩過。
2. 取 2 大匙篩過之麵粉與蜜餞混合(圖 1)。
3. 牛油加 $\frac{1}{2}$ 糖打發後，將蛋黃一個一個慢慢加入(圖 2)，再加入蘭姆酒調勻後，放入麵粉再拌入蜜餞(圖 3)。
4. 蛋白與剩餘 $\frac{1}{2}$ 糖打硬後，拌入麵糊內。
5. 取一方形烤模，抹上油，再灑上麵粉(圖 4)，將調好之麵糊倒入，置烤箱內，以 121°C(250°F)烤約 30 分後，改 149°C(300°F)烤 10 分鐘。

核桃瑞士捲

材料：

低筋麵粉 88 公克	核桃仁 50 公克	杏仁片適量
蛋 240 公克	細砂糖 120 公克	奶水 $\frac{1}{5}$ 杯
沙拉油 $\frac{1}{5}$ 杯	泡打粉 $\frac{1}{4}$ 茶匙	香草片 3 片

作法：

1. 作法與戚風蛋糕同（請參照 16 頁戚風蛋糕作法）。
2. 核桃仁切丁。
3. 將調好之蛋糕糊拌入核桃丁（圖 1）。拌勻後倒入鋪紙的方形烤盤內（圖 2），灑上杏仁片（圖 3），放入烤箱，以 121°C（250°F）烤約 30 分鐘後，改 149°C（300°F）烤 10 分鐘，取出待涼，撕掉紙（圖 4）。
4. 桌上鋪一張紙，將有杏仁片的一面朝下，上面噴上蘭姆酒，塗上鮮奶油，將紙及蛋糕往前拉，捲成一圓筒狀固定約 10 分鐘，將紙除去。

咖啡瑞士捲

材料：

低筋麵粉 88 公克	咖啡粉 10 公克	蛋 240 公克
細砂糖 120 公克	奶水 $\frac{1}{5}$ 杯	熱水 1 大匙
沙拉油 $\frac{1}{5}$ 杯	香草片 3 片	泡打粉 $\frac{1}{4}$ 茶匙

作法：

1. 咖啡粉與 1 大匙水溶化（圖 1），加入奶水調勻（圖 2）。
2. 其餘作法與戚風蛋糕同（作法請參照 16 頁戚風蛋糕作法）。
3. 使用方形烤盤烘焙。
4. 烤好之蛋糕待涼後，噴上蘭姆酒；準備一張紙，鋪在桌上，將蛋糕正面朝下，上面塗上鮮奶油（圖 3），將紙及蛋糕往前拉，捲成一圓筒狀（圖 4），固定約 10 分鐘，即可將紙去除，蛋糕切片食用。

派皮的製作

材料：
低筋麵粉 180 公克
白油 100 公克
鹽 $\frac{1}{4}$ 茶匙
水 $\frac{1}{2}$ 杯

①麵粉篩過。

②鹽與水調勻。

③將白油放在麵粉上。

④以麵刀剁勻。

⑤將麵粉做成麵牆，將水倒入。

⑥以手按壓麵糰，不可用搓揉方式。

⑦至麵糰均勻，整型成圓形。

⑧將麵糰放著，醒約 15 分鐘。

⑨麵粉灑上高筋麵粉。

⑩將麵糰擀成大薄片。

⑪派皮約比派盤大 1 吋。

⑫將派皮放入派盤內。

⑬可以木棍將麵皮捲起後放入派盤。

⑭以麵刀將多餘之麵皮切除。

⑮以手將麵皮四周整型。

⑯以左手大拇指與右手大拇指、食指捏出花邊。

⑰也可單手捏出花邊。

⑱最簡單的方法是以叉子壓出邊緣。

⑲以刀子在派皮上劃數刀,防止烤時麵皮鼓起。

⑳也可用叉子在麵皮上叉洞。

㉑製作雙層派皮時,皮與皮之接合處要刷上蛋黃水。

㉒剩餘之麵皮切成長條,裝飾上層派皮。

㉓上層派皮在烤時要刷上蛋黃水。

水蜜桃派

派皮材料：

低筋麵粉 100 公克　　　高筋麵粉 100 公克

牛油 80 公克　　　　　水 $\frac{2}{5}$ 杯

鹽少許

內餡材料：

水蜜桃 1 包　　　　蛋 2 個　　　糖 70 公克

吉力丁 $1\frac{1}{2}$ 大匙　　　水 $\frac{1}{3}$ 杯

作法：

1. 高低筋麵粉混合，放入牛油剁勻，其餘作法請參照第 36 頁派皮作法。
2. 擀好之麵皮倒扣在派盤上，以麵刀切去多餘部分（圖 1），整好型後，放入烤箱以 176°C（350°F）烤約 25 分鐘，見其呈金黃色取出待涼。

內餡作法：

1. 蛋白與蛋黃分開，將蛋白加糖打硬。
2. 吉力丁以熱水調勻，待稍溫，加入蛋黃液內（圖 2）。
3. 取一盆子內置冰水，將裝有蛋黃液的盆子放上，攪拌直至稍稠，加入打好的蛋白（圖 3）拌勻，拌入切好的水蜜桃丁（圖 4），然後倒入烤好的派皮內，放入冰箱冰約 30 分鐘，待內餡凝固，鋪上水蜜桃。

雞派

派皮材料：

低筋麵粉 270 公克　　　白油 150 公克　　　鹽 $\frac{1}{4}$ 茶匙

水 $\frac{3}{4}$ 杯

內餡材料：

雞胸肉 1 副　　　　洋蔥 $\frac{1}{4}$ 個　　　馬鈴薯 1 個

麵粉 3 大匙　　　　牛油 3 大匙　　　香腸 1 根

鹽、胡椒適量　　　煮熟蛋 2 個

作法：

1. 派皮作法請參照 36 頁。
2. 作好之麵糰分成大小兩塊，先將大的一塊，擀成圓形，放入派盤內，以 176°C（350°F）烤約 15 分鐘取出。
3. 馬鈴薯煮熟切丁，雞蛋、香腸、洋蔥皆切丁。
4. 雞胸肉切丁，以少許鹽調味後，拌入 1 大匙麵粉拌勻（圖 1）。
5. 鍋中放牛油溶化後，放入洋蔥炒香，再放入香腸、雞丁、馬鈴薯、蛋炒勻後盛起。
6. 剩餘之 2 大匙麵粉放入鍋中炒香，加水煮至稍稠，倒入炒好之菜及放入調味料（圖 2）。
7. 派餡放入烤好的派皮內，派皮邊緣刷上蛋黃水。再將另一塊小的派皮擀成圓形，蓋在上面（圖 3）劃上數刀。
8. 將 1 個蛋黃調上 1 大匙水及 $\frac{1}{2}$ 茶匙的奶水調勻，刷在派皮上（圖 4）。放入烤箱，以 176°C（350°F）烤約 20 分鐘。

蘋果派

派皮材料：

低筋麵粉 180 公克　　　　白油 100 公克　　　　水 $\frac{1}{2}$ 杯

鹽 $\frac{1}{4}$ 茶匙

內餡材料：

蘋果 3 個　　　　糖 50 公克　　　　牛油 15 公克

葡萄乾 $\frac{1}{2}$ 杯　　　檸檬 $\frac{1}{2}$ 個

派皮作法：

白油放入麵粉內，以麵刀剁勻，放入鹽、水和勻成麵糰，醒約 20 分鐘，擀成大圓薄片，將麵皮放入派盤內，以麵刀削出多餘的麵皮。

內餡作法：

蘋果去皮切丁，放入鍋中，加入糖及檸檬汁，以小火慢煮至蘋果變軟，再加入葡萄乾、牛油，煮至黏稠。煮好之內餡倒入派皮內(圖 1)，將剩餘之麵皮切成長條(圖 2)，派皮四周刷上蛋黃水，剩餘之麵皮一條一條整齊的排列上去(圖 3)，再刷上蛋黃水(圖 4)，放入烤箱內，以 176°C(350°F) 烤約 30 分鐘。

◉將 $\frac{1}{2}$ 大匙的吉力丁與 3 大匙水調化後，加少許檸檬汁及糖調勻，也可滴上 2 滴蘭姆酒，待稍稠，以刷子刷在水蜜桃上，不但可增加美觀，同時可保存水蜜桃水份在冰箱內不會流失。

檸檬派

派皮材料：

低筋麵粉 180 公克　　　　白油 100 公克　　　　水 $\frac{3}{4}$ 杯

鹽 $\frac{1}{4}$ 茶匙

內餡材料：

蛋 2 個　　　　檸檬 $\frac{1}{2}$ 個(可視各人口味增減)

糖 70 公克　　　吉力丁 $1\frac{1}{2}$ 大匙

水 $\frac{1}{3}$ 杯

派皮作法：

派皮作法請參照 36 頁。

將作好之麵糰擀成比派盤稍大之圓薄片，將麵皮倒扣在派盤上，以麵刀切去多餘部分(圖 1)，並作花邊(圖 2)，放入烤箱，以 176°C(350°F) 烤約 20 分鐘，至呈金黃色即可取出待涼。

內餡作法：

1.蛋白與蛋黃分開，將蛋白加入糖打硬。

2.檸檬以刮皮器將綠色表皮刮出(圖 3)，再擠出檸檬汁，與蛋黃拌勻。

3.吉力丁以熱水調勻待涼，加入蛋黃內拌勻，待稍稠時加入蛋白調勻(圖 4)。

4.取一大盆內裝冰水，將拌好之蛋黃連盆置於冰水內，不停的攪拌至稠狀，並迅速的填入派皮內，置冰箱冷藏。

5.冷藏好之派取出，以鮮奶油塗平，並以檸檬片裝飾即可。

41

巧克力派

材料：
派皮 1 個
內餡：

甜巧克力 100 公克	牛油 30 公克
蛋黃 2 個	糖 30 公克
鮮奶 2 杯	玉米粉 40 公克
香草片 2 粒	蘭姆酒 1 茶匙

作法：

1. 將巧克力切碎與鮮奶放入鍋內（圖 1），煮至巧克力溶化（圖 2）。
2. 玉米粉、糖拌勻後，倒入煮好的巧克力，用攪拌器攪勻，以中火煮至糊狀。
3. 蛋黃快速打至乳白色，將煮好的巧克力糊倒入，快速攪拌均勻，再改用小火煮至稠狀，加入香草粉、牛油、蘭姆酒拌勻即成內餡。
4. 將內餡填入派皮內（圖 3），上面以切碎的巧克力（圖 4）及鮮奶油裝飾。

芒果派

材料：
派皮 1 個
內餡材料：

芒果罐頭 1 罐	洋菜 20 公克	牛油 1 大匙
芒果 1 個	玉米粉 30 公克	奶水 $\frac{1}{2}$ 杯
蛋黃 3 個	糖 50 公克	水 3 杯

作法：

1. 洋菜洗淨用水泡軟，加 3 杯水煮至溶化，再加入糖、芒果罐頭煮開。
2. 蛋黃、玉米粉及奶水拌勻後，倒入煮好的洋菜漿快速攪拌（圖 1），至光滑的糊狀後，再加入牛油攪拌均勻即成內餡。
3. 把派皮填入 $\frac{1}{2}$ 的內餡（圖 2），並鋪上煮過的芒果（圖 3），再將內餡填滿，抹平後置於冰箱待凝固時取出。
4. 把新鮮芒果用挖球器挖成半圓球，裝飾在表面（圖 4），並刷上洋菜凍即可。

● 洋菜凍作法：將 $\frac{1}{5}$ 包洋菜、 $1\frac{1}{2}$ 杯水及 2 大匙糖煮至黏糊狀即可。

餡塔外皮的製作方法：

材料：
低筋麵粉 150 公克
牛油 120 公克
鹽 $\frac{1}{4}$ 小匙
蛋黃 1 個
冰水 $\frac{1}{4}$ 杯

①麵粉與鹽混合，放入冰箱內約 30 分鐘，取出篩勻。

②牛油冰硬，不可溶化，以刀子切成薄片。

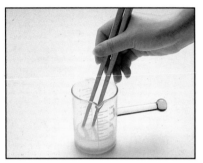

③蛋黃與冰水調勻。

④將冰過之麵粉放在麵板上，放上切好的牛油。

⑤以麵刀切勻。

⑥將拌勻牛油的麵粉放入盆內。

⑦倒入蛋水混合液。

⑧以筷子攪拌均勻。

⑨以手捏成麵糰。

⑩將麵糰以布包好，放入冰箱約 1 小時。

⑪麵板灑上高筋麵粉。

⑫冰好之麵糰放上。

⑬以擀麵杖擀成長條狀。

⑭摺疊三摺。

⑮再擀開。

⑯再摺疊。

⑰如此重複三次。

⑱烤模須抹油。

⑲麵皮放入烤模內,再將多餘之麵皮壓除。

⑳麵糰用布包好,放入冰箱冷凍,可保存一個月之久,請在布上註明日期。

● 使用熱風烤箱,由於加熱系統由上而下,烤塔皮時容易收縮,所以在烘烤之前,一定要先將烤箱以高溫預熱到176℃(350℉),再以同樣溫度烘烤,才不致收縮。

● 使用電氣烤箱,由於有上、下火分離的開關,所以烘烤塔皮比較適合。但溫度用 204℃(400℉)烘焙。

● 若製作麵皮的過程中,由於天氣太熱,而導致奶油溶化、麵皮黏濕時,應立即置於冰箱冰硬後,再行製作。

● 此種塔皮,亦可用來製作派皮。

基本餡塔皮三摺法:

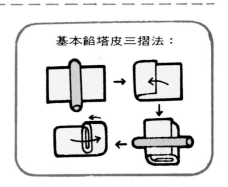

椰子塔

材料：
餡塔皮 1 份

內餡材料：

椰子粉 150 公克	細砂糖 60 公克	蛋 2 個
牛油 50 公克	奶水 $\frac{1}{2}$ 杯	

作法：

1. 將餡塔皮擀平放入抹油的模子內，沿模邊壓除多餘的麵皮，用竹籤插刺麵皮(圖 1)，以防烘烤時麵皮鼓起。
2. 蛋與糖打勻後拌入椰子粉(圖 2)，加入奶水拌勻(圖 3)，牛油溶成液體狀，倒入椰子餡內攪拌均勻。
3. 將椰蓉餡填入塔皮內(圖 4)抹平，置於預熱的烤箱中，以 176°C (350°F)烤 15～20 分鐘，至表面呈金黃色。

● 在烤好的椰子塔上灑上少許白色椰子粉裝飾，可增加美觀。

乾果塔

材料：
餡塔皮 1 份

內餡材料：

細砂糖 50 公克	蛋 2 個
牛油 60 公克	泡打粉 $\frac{1}{4}$ 茶匙
低筋麵粉 40 公克	核桃、葡萄乾、杏仁片共 1 杯

作法：

1. 餡塔皮依烤模大小分成數個等份擀成長形，置於抹油的烤模上，沿模邊壓除多餘的麵皮，再用竹籤插刺麵皮(圖 1)。
2. 低筋麵粉與泡打粉混合過篩備用，把牛油與糖打發，加入蛋續打至光滑狀(圖 2)後，拌入麵粉攪拌均勻。
3. 將核桃、杏仁片置於烤箱中，以 176°C (350°F)烤好後，取出剁碎，待涼後與葡萄乾倒入麵糊中(圖 3)拌勻，再填入餡塔皮內(圖 4)，並灑上杏仁片，置於預熱的烤箱中，採高架位以 176°C (350°F)烤 15～20 分鐘。

蛋塔

材料：
餡塔皮 1 份
內餡材料：
蛋 $1\frac{1}{2}$ 個
糖 50 公克
奶水 $\frac{1}{2}$ 杯
熱水 $\frac{1}{4}$ 杯

作法：
1. 烤模抹油（圖 1），麵皮分成數等份擀成圓薄片，每個約比烤模大出 1 公分，放入烤模內，邊緣捏薄（圖 2），並將邊緣捏出花邊（圖 3）。
2. 蛋打勻後過濾。
3. 熱水與糖調勻，至糖溶化，待稍溫，加入奶水，並加入蛋液調勻。
4. 調好之蛋液倒入蛋塔皮內（圖 4），放入烤箱，以 149°C（300°F）烤約 25 分鐘。

◉ 若使用熱風爐烤箱，則應於烤至 15 分鐘後，上面加蓋一塊鐵板，以免內餡表皮烤焦。

核桃塔

材料：
餡塔皮一份
內餡材料：
蛋白 2 個　　　　　　　碎核桃及葡萄乾共 1 杯
細砂糖 50 公克
頂層裝飾：
蛋黃 5 粒　　　　細砂糖 20 公克
蛋白 $\frac{1}{2}$ 個

作法：
1. 擀成薄片之餡塔皮 1 份，填入烤模內，將邊緣多出之麵皮壓除（圖 1），以竹籤刺洞，待用。
2. 蛋白與糖輕打至起泡（圖 2），拌入乾果（圖 3），填到塔皮內。
3. 頂層裝飾之蛋黃與蛋白及細砂糖混合打至濃稠程度，約 30 分鐘，將打好之蛋糊填入三角袋內，再擠在乾果上（圖 4），放入烤箱，以 149°C（300°F）烤約 30 分鐘。

水果塔

材料：

餡塔皮 1 份

內餡材料：

蛋黃 4 個　　　　　檸檬 1 個

糖 40 公克　　　　鮮奶油 1 杯

吉力丁 1 大匙　　　熱水 $\frac{1}{4}$ 杯

裝飾水果：

香瓜、芒果、水蜜桃、香蕉、奇異果……等等，依季節性及您喜愛的水果變化。

作法：

1. 將餡塔皮擀平放入抹油的模子內，沿模邊壓除多餘的麵皮（圖1），再用竹籤插刺麵皮，以防烘烤時麵皮鼓起，再將作好的麵皮置於預熱的烤箱中以 176℃（350°F）烤 15～20 分鐘，至表皮呈金黃色（圖2），取出待涼備用。

2. 吉力丁與熱水調勻（圖3），檸檬用磨皮器將綠皮磨出（圖4），並擠出檸檬汁備用。

3. 將蛋黃與糖拌勻後，倒入檸檬汁與檸檬的綠皮，再將拌勻的吉力丁水倒入攪拌至稠狀（圖5），鮮奶油打發後倒入餡內並快速的攪拌均勻（圖6）。

4. 把拌好的內餡填入派皮內（圖7），再置於冰箱中，冰約 30 分鐘以上，至凝固時取出裝飾。

● **香瓜**：洗淨去皮、去子，用挖球器由內向外挖出半圓形的球狀果肉。

● **芒果**：洗淨去皮後，用挖球器挖出半圓形的球狀果肉。

● **香蕉**：去皮斜切成大片，並在香蕉片上淋上檸檬汁，以防變黑。將切好的水果整齊的排列在塔面上（圖8），再將吉力丁用熱水溶勻，待稍涼後刷在水果面上，置於冰箱中使其凝固後成透明狀。

奶油鬆餅

材料：

低筋麵粉 200 公克　　　起酥油 200 公克
高筋麵粉 80 公克　　　　蛋 1 個
水 $\frac{1}{2}$ 杯　　　　　　　奶水 $\frac{1}{4}$ 杯
鹽 $\frac{1}{4}$ 茶匙

作法：

1. 低筋麵粉與 50 公克之高筋麵粉混合，中間挖一麵牆，將蛋、奶水、鹽、水放入，攪拌均勻，揉成光滑之麵糰，醒約 15 分鐘。
2. 起酥油與剩餘之 30 公克高筋麵粉壓勻(圖 1)。
3. 醒好之麵糰包入起酥油，擀成大薄片，摺成三摺，再擀平，再摺(圖 2)，重複三次，放入冰箱冰約 1 小時。
4. 取出冰好之麵糰，以三摺法再擀成大薄片。
5. 將擀好之麵皮切成適合您家烤箱大小之麵皮，放在抹油的烤盤上(圖 3)，以 176°C(350°F)烤約 15 分鐘，至呈金黃色取出放在透氣的架子上，待涼，塗上奶油夾心(圖 4)，兩層相疊(圖 5)，上灑糖粉(圖 6)，並以刀子將不齊之四邊削除即可。

奶油夾心材料：

白油 100 公克　　　　　核桃丁 $\frac{1}{2}$ 杯
沙拉油 2 大匙　　　　　牛油 30 公克
糖粉 60 公克　　　　　　葡萄乾 $\frac{1}{2}$ 杯

作法：

1. 糖粉篩過。
2. 白油與牛油混合，加入糖粉，以打蛋器快速打發約 15 分鐘，再慢慢的加入沙拉油打約 5 分鐘(圖 7)，拌入葡萄乾及烤過的核桃丁(圖 8)即可。

巧克力鬆餅

材料：

油酥皮與奶油鬆餅完全相同。

巧克力奶油夾心材料：

巧克力 80 公克　　　白油 100 公克

糖粉 60 公克　　　　沙拉油 2 大匙

牛油 30 公克

作法：

1. 擀好之油酥皮切成與您所使用之烤盤大小相同，將麵皮放入抹油的烤盤內，以叉子叉洞(圖1)，防止烤時鼓起，放入預熱的烤箱內，以 176°C(350°F)烤約 15 分鐘。
2. 烤好之鬆餅皮取出放在網架上，使其透氣，待涼。
3. 白油牛油混合與篩過的糖粉打發後(約 15 分鐘)，慢慢加入沙拉油打勻至奶油糊光亮。
4. 巧克力隔水加熱，至溶化後，拌入奶油糊(圖2)，拌好後，抹在涼透的鬆餅皮上(圖3)，再蓋上上層，抹上奶油糊(圖4)，抹平後，灑上巧克力粉，將四邊修平即可。

牛角鬆餅

材料：

材料與奶油鬆餅完全相同。

作法：

1. 冰凍好之油酥皮 1 份取出(圖1)，待稍軟，以三摺法重複擀三次，使成一大薄片。
2. 擀好之麵皮切成長條(圖2)，刷上蛋黃水(圖3)，使麵皮捲起時能黏接住。
3. 取圓椎模，抹上油，將麵皮刷蛋黃水之面朝外，以圓椎模順同一方向捲起(圖4)，捲好後，再刷上蛋黃水，放在烤盤上，放入烤箱，以 176°C(350°F)烤約 20 分鐘。
4. 烤好之鬆餅，待涼取出圓椎模，可在中間填入鮮奶油或奶油夾心，上面再灑上糖粉。

紅蘿蔔派

材料：

紅蘿蔔 $\frac{1}{2}$ 根	蛋黃 $1\frac{1}{2}$ 個
低筋麵粉 2 大匙	蛋白 1 個
糖 40 公克	牛油 1 大匙
杏仁角 2 大匙	檸檬汁 1 大匙
糖粉適量	

作法：

1. 把紅蘿蔔用磨泥器磨成泥狀（圖 1）。
2. 蛋黃加入 $\frac{1}{2}$ 的糖打發呈乳白色狀，加入紅蘿蔔泥及杏仁角、牛油、檸檬汁攪拌均勻（圖 2）。
3. 蛋白與剩餘的 $\frac{1}{2}$ 糖打至挺硬後，與紅蘿蔔泥拌均勻（圖 3），倒入抹油的模子內（圖 4），灑上杏仁角，置於預熱的烤箱中，以 149°C（300°F）烤 15～20 分鐘，烤熟後灑上糖粉即可。

甜蜜香薯

材料：

地瓜 300 公克
蛋黃 1 個
牛油 1 大匙
細砂糖 30 公克
鹽 $\frac{1}{4}$ 茶匙

作法：

1. 將地瓜洗淨後蒸熟，趁熱壓成泥（圖 1），再加入砂糖、鹽拌勻後，加入蛋黃攪拌均勻（圖 2）。
2. 最後將牛油加入拌勻的地瓜泥內拌勻，使其具有黏性（圖 3），把地瓜泥填入擠花袋內，擠出所喜愛的圖樣於烤盤內（圖 4），烤箱先預熱，以 176°C（350°F）烤 10～15 分鐘即成。

◉地瓜可改用馬鈴薯，作法相同。

杏仁脆餅

材料：

白油 60 公克　　　　　　杏仁片 150 公克
低筋麵粉 200 公克　　　　蛋白 5 個
鹽 $\frac{1}{4}$ 茶匙　　　　　　糖粉 150 公克
牛油 140 公克

作法：

先使牛油軟化與白油、糖粉混合(圖1)，再慢慢加入蛋白打至發(圖2)，再拌入篩過的麵粉及鹽，拌勻後再加入杏仁片略拌，用湯匙將麵糊挖在抹油的烤盤上(圖3)，將手沾水把麵糊壓平(圖4)，烤盤置於預熱的烤箱中，以 176°C(350°F)烤 12～15 分鐘即可。

脆皮巧克力小西餅

材料：

蛋白 40 公克　　　　杏仁角 100 公克　　　　糖粉 60 公克
可可粉 20 公克

作法：

1. 糖粉篩過。
2. 蛋白加糖粉打至稍起泡(圖1)，加入杏仁角攪勻，放在爐火上，以小火煮至約 70°C(圖2)，煮時不停的攪拌。
3. 盆子離火，加入可可粉(圖3)攪拌均勻。
4. 烤盤刷油，將拌好之材料，以湯匙挖取放在烤盤上，手沾水，以手壓平(圖4)，放入烤箱內，以 149°C(300°F)烤約 20 分鐘。

紅蘿蔔小西餅

材料：

白油 150 公克　　　　糖粉 80 公克

椰子粉 50 公克　　　　低筋麵粉 210 公克

紅蘿蔔 $\frac{1}{2}$ 根　　　　　鹽 $\frac{1}{4}$ 茶匙

蛋 2 個　　　　　　　櫻桃洋菜糖數粒

泡打粉 $\frac{1}{4}$ 茶匙

作法：

1. 麵粉與泡打粉混合篩過，糖粉篩過。
2. 紅蘿蔔以擦皮器擦成泥（圖 1）。
3. 白油與糖打發後拌入蛋打勻，再放入紅蘿蔔泥及鹽調勻（圖 2），再放入椰子粉及麵粉（圖 3）拌勻。
4. 將麵糊填入套有擠花嘴之擠花袋內，在烤盤上擠出圖案（圖 4），上放洋菜糖，放入烤箱，以 149°C（300°F）烤約 25 分鐘。

● 此種餅乾應採用粗口擠花嘴，否則椰子粉會將擠花嘴堵塞。

果醬夾心餅

材料：

低筋麵粉 200 公克　　　糖粉 50 公克

牛油 50 公克　　　　　水 $\frac{1}{4}$ 杯

杏仁角 1 杯　　　　　　玉米粉 80 公克

果醬適量　　　　　　　蛋 1 個

白油 80 公克　　　　　蘇打粉 $\frac{1}{4}$ 茶匙

作法：

1. 麵粉與玉米粉、蘇打粉混合篩過，再將篩過的糖粉混合在麵粉裡。
2. 牛油、白油放入混合好的粉類內切勻後，拌入蛋、水混合液、和好之麵糰，醒約 15 分鐘。
3. 將麵糰擀成大薄片，以圓形切模切成小薄片（圖 1），在半圓內放上果醬（圖 2），將另半圓摺疊（圖 3），刷上蛋液，沾上杏仁角（圖 4），放在抹油的烤盤內，以 149°C（300°F）烤約 20 分鐘。

糖衣小餅乾

材料：

低筋麵粉 300 公克　　　　牛油 100 公克
糖粉 100 公克　　　　　　鹽 $\frac{1}{4}$ 茶匙
肉桂粉 5 公克　　　　　　泡打粉、蘇打粉各 $\frac{1}{4}$ 茶匙
白油 50 公克　　　　　　蛋白糖霜適量
蛋 2 個

作法：

1. 低筋麵粉與蘇打粉、泡打粉、肉桂粉混合篩過。
2. 牛油與白油、糖粉（篩過）、鹽混合打發後，加入蛋液打勻，拌入篩過之麵粉（圖 1），放入冰箱冰約 30 分鐘。
3. 取出麵糰，擀成大薄片（圖 2），扣出各種形狀（圖 3），放在抹油的烤盤上，以 149°C（300°F）烤約 20 分鐘，取出待涼。
4. 將染色過的蛋白糖霜，裝在套有擠花嘴之擠花袋內，在餅乾上擠出各種您喜愛的圖案（圖 4），深受小孩子喜愛。

蛋白糖霜

材料：

蛋白 2 個
食用色素適量
糖粉 2 杯
塔塔粉 $\frac{1}{4}$ 茶匙

作法：

1. 糖粉以篩子篩過。
2. 蛋白放入盆內，加入塔塔粉（圖 1），打至起泡後，加入糖粉（圖 2），打約 10 分鐘，至挺硬不會滴落（圖 3）。
3. 將打好之蛋白糖分別加入各種色素（圖 4），即可使用。

◉打好之蛋白糖必須以濕布蓋好，否則很容易乾硬。

杏仁小西餅

材料：

低筋麵粉 185 公克　　　　　糖粉 90 公克
泡打粉及蘇打粉各 $\frac{1}{4}$ 茶匙　牛油 110 公克
杏仁粒 1 杯　　　　　　　　蛋 1 個

作法：

1. 麵粉與泡打粉、蘇打粉混合篩過。
2. 糖粉篩好後，放入牛油打至發，加入 1 個蛋攪拌均勻，再加入篩過之麵粉(圖 1)及杏仁粒，以手按壓均勻(圖 2)。揉好之麵糰放入冰箱冰約 30 分鐘，取出搓成長條狀，以紙捲起，將外型固定為長方形(圖 3)，放入冰箱冷凍至硬，取出撕去紙，切成片狀(圖 4)，立刻放在抹油的烤盤上，放入烤箱以 149°C(300°F)烤約 20 分鐘，至金黃色即可。

巧克力擠花小餅

材料：

白油 75 公克　　　　　牛油 75 公克
奶水 100 公克　　　　　低筋麵粉 180 公克
巧克力粉 30 公克　　　甜巧克力 50 公克
糖粉 75 公克　　　　　香草片 2 片

作法：

1. 麵粉與巧克力粉混合篩過(圖 1)。糖粉篩過。
2. 白油與牛油拌勻，加入糖粉打發後，加入奶水調勻，再將麵粉加入拌勻，裝入套有擠花嘴之擠花袋內(圖 2)，擠出各種形狀，(圖 3)，放入烤箱內，以 149°C(300°F)烤約 20 分鐘。
3. 將甜巧克力隔水溶化(盆內之水約 60°C)(圖 4)後，滴在烤好之餅乾上，待冷卻即可，也可以蛋白糖裝飾。

椰子圈餅

材料：

牛油 70 公克	奶粉 15 公克
椰子粉 20 公克	雞蛋 1 個
糖粉 60 公克	低筋麵粉 100 公克

作法：

1. 糖粉篩過。
2. 牛油與糖粉打發後(圖 1)，放入雞蛋再打勻，拌入椰子粉(圖 2)，再拌入混合篩過的奶粉與低筋麵粉(圖 3)，裝入套有圓形花嘴之擠花袋內，在抹油的烤盤上擠成圓圈狀(圖 4)，灑上椰子粉，以 149°C (300°F)烤約 20 分鐘。

蝴蝶酥

材料：

低筋麵粉 200 公克	高筋麵粉 80 公克
鹽 $\frac{1}{4}$ 茶匙	奶水 $\frac{1}{4}$ 杯
蛋 1 個	細砂糖 2 大匙
水 $\frac{1}{2}$ 杯	
起酥油 200 公克	

作法：

1. 低筋麵粉與 50 公克之高筋麵粉混合，中間挖一麵牆，將鹽、蛋、水、奶水倒入揉成光滑麵糰，醒約 15 分鐘。
2. 起酥油與剩餘之 30 公克高筋麵粉壓勻，醒好之麵糰包入起酥油，以三摺法重複三次，放入冰箱冰 1 小時。
3. 作好之油酥皮擀成大薄片(圖 1)，切成約 10 公分寬之長條，在麵皮上灑上細砂糖(圖 2)，將麵皮由兩邊摺向中間(圖 3)，摺疊後放入冰箱冰約 1 小時，待麵皮變硬，切成小薄片(圖 4)，放在烤盤上，不要排列太密，刷上蛋黃水，以 176°C(350°F)烤 20 分鐘。

杏仁酥條

材料：

低筋麵粉 200 公克　　　起酥油 200 公克
高筋麵粉 80 公克　　　　蛋 1 個
水 $\frac{1}{2}$ 杯　　　　　　　奶水 $\frac{1}{4}$ 杯
鹽 $\frac{1}{4}$ 茶匙

作法：

1. 低筋麵粉與 50 公克之高筋麵粉混合，中間挖一麵牆，將鹽、蛋、水、奶水倒入揉成光滑麵糰，醒約 15 分鐘。
2. 起酥油與剩餘之 30 公克高筋麵粉壓勻，醒好之麵糰包入起酥油，擀成大薄片，以三摺法重複三次，放入冰箱冰約 30 分鐘，取出再擀成約 0.3 公分厚之薄片(圖 1)，刷上蛋黃水(圖 2)，灑上杏仁角(圖 3)，以擀麵杖稍微壓平，切成長條狀(圖 4)，放在烤盤上，再放入預熱的烤箱內，以 176°C(350°F)烤約 20 分鐘。

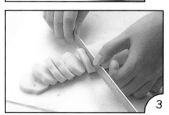

杏仁小西餅(二)

材料：

與杏仁小西餅(一)同。

作法：

打好之牛油糊拌入麵粉後，加入杏仁角，以手按壓均勻，雙手抹粉，搓成圓筒狀(圖 2)，以紙捲起放入冰箱冰約 1 小時，取出，撕去紙，切成薄片(圖 3)，中間放上 1 粒榛實果或杏仁粒，放在烤盤上，以 149°C(300°F)烤約 20 分鐘。

●烤盤一定要記得抹油(圖 4)，否則餅乾不易取出。
●此種餅乾會膨脹，所以放在烤盤時，不要排列太密。

雞蛋布丁

焦糖材料：

細砂糖 120 公克　　　　熱水 $\frac{1}{4}$ 杯

布丁材料：

水 400 公克　　　細砂糖 100 公克　　　奶水 $\frac{1}{2}$ 杯

蛋 6 個

焦糖作法：

將砂糖在乾鍋內以小火燒至焦黃成液體狀(圖 1)，慢慢加入熱水，即成糖漿，將糖漿平均的倒入布丁模內。

布丁作法：

1. 用一小鍋將水與糖煮溶，不要煮開，約 60°C，再加入奶水調勻(圖 2)。
2. 蛋打勻，以濾網濾過(圖 3)，倒入糖水內拌勻，平均的倒入布丁模內(圖 4)。
3. 取一烤盤，內置水，將布丁模擺上，以 121°C(250°F)烤約 80 分鐘。

●測試法：將烤好的布丁斜倒，若模內布丁不呈水狀即可，也可以竹籤插試，不沾竹籤即可。

南瓜布丁

材料：

南瓜 500 公克　　　玉米粉 30 公克　　　鮮奶油 1 杯

糖 80 公克　　　　蛋黃 2 個　　　　　香草片 2 片

全蛋 2 個

焦糖糖漿 1 份(材料及作法請參照雞蛋布丁)

作法：

1. 焦糖倒在布丁模內(圖 1)。
2. 南瓜切塊蒸熟後，篩過(圖 2)，加入糖及玉米粉攪拌均勻，調入全部之蛋及磨粉之香草片，攪拌均勻，倒入鮮奶油(圖 3)，調好後放到布丁模內。
3. 準備一烤盤，內置水(圖 4)，放上布丁模，放入烤箱，以 121°C(250°F)半蒸烤約 50 分鐘。

天鵝泡芙

材料：

低筋麵粉 100 公克　　　蛋 2～3 個

泡打粉 $\frac{1}{4}$ 茶匙　　　熱水 100 公克

沙拉油 100 公克

作法：

1. 先將麵粉與泡打粉過篩，再將沙拉油與水倒入鍋內煮時不停的攪拌至冒泡（圖 1）後關火，加入麵粉用力快速攪拌均勻，至稍溫，慢慢加入打勻之蛋液（圖 2），打至麵糊拿起時呈薄片狀（圖 3）即可。

2. 取一白紙作成三角袋狀，將麵糊裝入袋內，再將袋子尖端剪一小口，將麵糊在烤盤內擠出成鵝頭形（圖 4），再擠體形（圖 5），置於預熱的烤箱內，以 149℃（300°F）烤約 25 分鐘至泡芙呈金黃色，烤時中途絕不可打開箱門，否則泡芙會立即消掉，將烤好的泡芙待涼後將身體剪成兩半（圖 6），上半部再剪成兩半為翅膀，再將下半部填入煮好的奶油糊及鮮奶油（圖 7），再裝上頭、翅膀即成天鵝，並灑上糖粉（圖 8）即可。

● 水與油混合煮時，易起油爆，所以要極為小心，以小火煮，煮時以攪拌器不停攪拌，就不會產生油爆，至水油混合成乳白色。水油的溫度一定要達到能將麵粉燙熟的程度，否則泡芙做不成功。

奶油空心餅

材料：

泡芙麵糊 1 份(請參照天鵝泡芙)

糖粉少許　　　奶油糊 1 份

鮮奶油 $\frac{1}{2}$ 杯

作法：

1. 麵糊裝入三角袋內，準備一烤盤，將麵糊擠成圓圈狀(圖 1)，放入烤箱，以 176°C(350°F)烤約 25 分鐘，至呈金黃色，取出待涼。
2. 將空心餅切半(圖 2)，填上奶油糊(圖 3)，再填上鮮奶油，蓋上上層，灑上糖粉即可。

奶油糊材料、作法：

蛋黃 2 個	玉米粉 1 大匙	糖 30 公克
牛油 30 公克	蘭姆酒 1 小匙	奶水 $\frac{2}{3}$ 杯

香草精 2 滴(或香草片 2 片)

將蛋黃、糖、玉米粉在盆內拌勻，奶水與牛油在鍋內加熱後放入蛋黃液內，小火慢煮，並不停攪拌，至濃稠狀(圖 4)後，鍋子離火加入香草精(或以香草片兩片代替)及蘭姆酒攪拌均勻待涼使用。

水蜜桃泡芙捲

材料：

泡芙麵糊 1 份(請參照天鵝泡芙作法)

果醬少許

水蜜桃 3 片

鮮奶油 1 杯

作法：

1. 烤盤抹油鋪上麵糊(圖 1)，用手沾水、壓平。
2. 果醬放入三角紙袋內，在麵糊上擠上斜紋(圖 2)，放入烤箱，以 176°C(350°F)烤約 25 分鐘，至表面呈金黃色即可取出待涼，將表面壓平，取一張紙，將烤好之泡芙皮正面朝下，塗上一層鮮奶油，再鋪上水蜜桃(圖 3)，再塗上鮮奶油，然後將紙捲起(圖 4)，使泡芙成圓筒狀，固定好，約 10 分鐘，將紙取下，切成斜段即可。

麵糰發酵的製作方法： （1 條吐司份量）

材料：

高筋麵粉 250 公克

糖 15 公克

奶粉 3 大匙

牛油 20 公克

水 $\frac{1}{2}$ 杯

鹽 $\frac{1}{2}$ 茶匙

蛋 1 個

新鮮酵母 15 公克

（或乾酵母 8 公克）

①使用乾酵母則以 40℃的水放入酵母不要攪動約 10 分鐘。

②使用新鮮酵母則將酵母切小塊放入約 30℃的水中，使其溶化

③麵粉和奶粉混合。

④以篩子篩過。

⑤蛋、糖、鹽混合均勻。

⑥倒入麵粉內拌勻。

⑦將發酵好的酵母水倒入。

⑧攪拌均勻。

⑨放入牛油揉勻。

⑩使成麵糰。

⑪桌上灑上高筋麵粉。

⑫麵糰放上用力搓揉約10分鐘

⑬也可將麵糰提起用力摔打。

⑭至麵糰十分光滑。

⑮準備一盆子四周抹油。

⑯將麵糰放入。

⑰以濕布或保潔膜蓋密。

⑱見其發酵約二倍大即可。

⑲雙手抹油將麵糰取出。

⑳若希望麵包較軟,可將發好之麵糰翻面後再發一次,第二次時間較短。

發酵良好	用手指壓入麵糰,若指壓處保持不變,則表示發酵良好。	

 發酵良好
用手指壓入麵糰,若指壓處保持不變,則表示發酵良好。

 發酵不足
用手指壓入麵糰,指壓處深陷,表示發酵不足。可能是時間不夠,則須追加時間,也可能是材料使用不正確。

 發酵過剩
用手指壓入麵糰,全體下陷,則表示發酵過久,通常第二次發酵時間較短。

丹麥麵包

外皮材料：

低筋麵粉 200 公克　　　高筋麵粉 375 公克

蛋 3 個　　　　　　　　奶水 $\frac{1}{4}$ 杯

牛油 55 公克　　　　　　水 $\frac{3}{4}$ 杯(視麵粉濕度而定)

細砂糖 110 公克

酵母 40 公克

內皮材料：

高筋麵粉 150 公克

牛油 395 公克

水皮作法：

1. 酵母與水調勻。
2. 麵粉、糖、鹽混合均勻，放在盆內，中間挖一洞將酵母水、奶水、蛋、牛油放入，和成麵糰，取出在麵板上用力搓揉並摔打(圖1)，至麵糰有彈性不沾手時放置約 10 分鐘。

油皮作法：

1. 牛油輕輕和入麵粉(圖2)不可搓揉，拌勻即可。
2. 將水皮包油皮(圖3)，擀成薄片，摺成三摺，再擀薄片，再摺三摺，重複三次後，將麵糰切成四等分，切口捏緊以塑膠袋裝好，放入冰箱冷凍，可貯存二個月。
3. 要烤之前 2 小時，可先將冷凍之麵糰放到冷藏室，讓其稍軟，取出一份，將麵糰擀成薄片，也是以三摺法重複三次擀成長薄片後，以刀子切成三條(圖4)，再擀成長薄片橫捲成長條狀，將捲好之三條麵糰綁成辮子狀(圖5)，放入刷油之烤模內(圖6)，烤箱以最高溫預熱後，將開關關掉，放入作好之麵包，待麵糰發至 8 分滿後刷上蛋黃水、灑上杏仁片，以 121°C(250°F)烤約 25 分鐘後，再改 149°C(300°F)烤 10 分鐘，即為丹麥土司。

牛角麵包作法：

1. 擀好之麵皮以刀子切成長方形薄片，再切成長三角形(圖7)。
2. 取一三角形麵皮，以擀麵杖稍擀，再以兩手將兩個角之麵皮搓長(圖8)，捲成牛角形，放在烤盤上，放入溫熱之烤箱待發至二倍大，刷上蛋黃水，以 149°C(300°F)烤約 20 分鐘。

波羅麵包

材料：

高筋麵粉 250 公克　　　水 $\frac{1}{2}$ 杯

蛋 1 個　　　　　　　　奶粉 2 大匙

鹽 $\frac{1}{4}$ 小匙　　　　　　　糖 75 公克

新鮮酵母 15 公克

波羅皮材料：

低筋麵粉 100 公克　　糖粉 30 公克　　　牛油 40 公克

蛋 1 個

作法：

1. 發麵請參照 74 頁發麵之製作方法，只是材料略有不同。
2. 糖粉篩過，拌入牛油，以打蛋器打發後，將蛋拌入打勻，慢慢放入麵粉拌勻，至呈光滑之麵糰(圖 1)，分成 8 等份。
3. 麵糰發至二倍後，以抹油之雙手將麵糰取出，放在抹油之麵板上，將麵糰分成 8 等份(圖 2)，以手將麵糰揉至光滑狀後，將作好之波羅皮包入成圓狀(圖 3)放在烤盤上，取波羅模型，灑上麵粉，扣在麵球上，使成花紋(圖 4)，放著發約 30 分鐘，刷上蛋黃水，以 149°C (300°F) 烤約 20 分鐘。

甜麵包

材料：

與波羅麵包之麵糰同。

作法：

1. 作好之麵糰發至二倍大(圖 1)後，雙手抹油，將麵糰取出，分成約 10 等份，搓成頭大尾小之麵糰(圖 2)。
2. 將麵糰擀成麵皮，刷上蛋黃水(圖 3)，再由寬的一邊將麵糰捲起(圖 4)，放至烤盤，再發酵約 30 分鐘後，刷上蛋黃水，放入烤箱以 149°C (300°F) 烤約 15 分鐘，烤好趁熱刷上牛油。

披薩

麵皮材料：

低筋麵粉 100 公克　　　　鹽 $\frac{1}{4}$ 茶匙

高筋麵粉 50 公克　　　　　水 90 公克

奶粉 10 公克　　　　　　　糖 10 公克

酵母(新鮮)10 公克

牛油 10 公克

內餡材料：

紅蕃茄 2 個　　　　　　牛油 2 大匙

蕃茄醬 2 大匙　　　　　大蒜 2 粒

乳酪絲 1 杯　　　　　　糖 $\frac{1}{2}$ 茶匙

鹽適量

胡椒粉適量

牛肉切片適量　　　　　青椒、洋葱切絲適量

洋菇切片適量

麵皮作法：

把酵母加水調勻(圖 1)，與糖、鹽和勻，再加入高、低筋麵粉、奶粉揉成麵糰，把牛油與麵糰(圖 2)揉至光滑，放約使其發成二倍大(圖 3)，將發酵好的麵糰分成兩份揉成圓球狀，再用擀麵杖擀成二片圓皮(圖 4)後，置於烤箱中的烤盤上，再用牙籤插洞以免烤時鼓起(圖 5)。

內餡作法：

蕃茄用滾水略燙去皮去籽，切成小丁，再用炒鍋把牛油、大蒜爆香，加入蕃茄丁、蕃茄醬、糖、鹽、胡椒粉及少許水煮至呈糊狀(圖 6)。

青椒牛肉披薩作法：

1. 將牛肉片用少許太白粉拌勻，再調入少許醬油。
2. 蕃茄糊抹在麵皮上(圖 7)，灑上乳酪絲、牛肉片、洋葱絲、青椒絲(圖 8)，置於烤箱中，以 176°C（350°F）烤 15 分鐘即成。

◉披薩的內餡材料沒有特定，可依照喜愛的口味調配。

文 化 生 活

●枸杞砂蝦

●品味誌●

2

　　微波爐是一項革命性的新發……是快速、簡潔的烹飪法，開創無油煙烹飪的新境界，讓我們得以享受更高品質的生活。

　　西方國家中幾乎有50％的家庭已改用微波爐烹飪食物，不僅因爲這項劃時代的產品，其快速、方便的優點迎合現代人高效率生活的需求，更是因爲微波烹飪在保存食物的鮮味、營養及原有色澤的功夫上，確實是傳統烹飪法所不及的。

走進烹調的新紀元

　　利用微波爐烹飪食品，具有簡便、快速、安全等優點，但是學會操作方法外，您還需要在使用上能得心應手；我們精心製作的「中菜微波食譜」，正是爲了滿足您"用的需求"。

如果您對吃的要求比別人多一點

　　「中菜微波食譜」詳細介紹微波爐使用容器的選擇，使用時應注意的事項，烹飪要領，利用微波的加熱或解凍，一般食物的烹煮，乃至各類蔬菜的烹飪時間，更列有 120 道中菜的作法，提供您不同的需要，讓您在最短的時間內，也能成爲烹飪高手。

　　16開全彩精印豪華本，各式佳餚皆附彩色分解圖及詳細中、英文作法解說，簡單易學，自用或饋贈親友兩相宜。

120種菜式，依您需要可變化搭配

《海鮮類》　　　《牛肉類》　　《點心類》
《青菜豆腐類》　《飯粥類》　　《蛋類》
《雞鴨類》　　　《豬肉類》

中菜微波食譜
MICRO WAVE OVEN COOKBOOK OF CHINESE FOOD

躍昇文化事業有限公司
電話／703-1828　7057118
郵政劃撥帳號1188888-8

中、西菜

轟炸雞

材料：

| 雞 1 隻 | 芋頭 1 個 | 洋芋 2 個 |
| 洋蔥 $\frac{1}{2}$ 個 | 鹽 $\frac{1}{2}$ 茶匙 | |

醃料：

| 蔥 2 根 | 薑數片 | 酒 1 大匙 |
| 鹽 1 大匙 | | |

作法：

1. 把雞去內臟洗淨並擦乾水份，用醃料醃 30 分鐘以上備用。（圖 1）
2. 把芋頭、洋芋去皮切成小丁，洋蔥切丁（圖 2）。
3. 在鍋中加 2 大匙油以洋蔥爆香，再加芋頭、洋芋及鹽燜煮，起鍋後將芋頭等填入雞腹內（圖 3），用線將開口處縫合，置於烤箱內適當位置，以 204℃（400℉）烤約 20 分鐘後再將雞翻面烤 30 分鐘即可。

◉ 烤雞時可在中途打開烤箱在雞身刷油顏色會更佳。

核桃雞片

材料：

| 雞腿肉 600 公克 | 核桃 1 杯 | 蛋白 1 個 |
| 胡椒鹽 1 大匙 | 酒 $\frac{1}{2}$ 茶匙 | |

作法：

1. 將雞腿洗淨去骨切成大薄片（圖 1），用胡椒鹽、酒醃約 20 分鐘（圖 2）。
2. 核桃切成丁後，再把醃好的肉片沾上蛋白，並把核桃丁裹在肉片上（圖 3），排在烤盤上，將烤盤置於烤箱內中間位置 176℃（350℉）烤約 20 分鐘即可。

◉ 烤雞片時可刷上油以免肉質乾硬。
◉ 本作法也可用油炸烹飪法。

沙茶雞

材料：
雞 1 隻
酒 1 大匙
沙茶 $\frac{1}{2}$ 杯
糖 1 大匙
醬油 2 大匙
大蒜數粒

作法：
將雞洗淨擦乾水份（圖 1），把大蒜去皮剁碎（圖 2）與沙茶、醬油、糖、酒拌勻淋在雞身上（圖 3），再以手塗勻，略置 1 小時再置於烤箱內適當位置以 204°C（400°F）烤約 50 分鐘，烤時可刷上沙拉油顏色會均勻。

椒鹽雞翅

材料：
雞翅 600 公克
花椒 $\frac{1}{2}$ 杯
鹽 1 茶匙

作法：
1. 先把花椒置於烤盤上放入烤箱以 204°C（400°F）烤約 10 分鐘（圖 1），至香味溢出成酥狀，待涼後以擀麵杖擀成粉末（圖 2），然後與鹽拌勻備用。
2. 將雞翅洗淨擦乾水份，並把椒鹽灑在雞翅上（圖 3），把雞翅置於烤箱的烤架上適當位置以 204°C（400°F）烤約 15 分鐘至金黃色即可。

◉此種自製椒鹽較香，可沾食油炸食品，或炒菜、烤肉用。

培根烤鵝

材料：

鵝 1 隻　　　　　　　培根 2 包(約 20 片)
鹽 $\frac{1}{2}$ 茶匙　　　　　　蜂蜜 2 大匙
胡椒粉 $\frac{1}{2}$ 茶匙

作法：

1. 培根肉先用熱水燙過(圖 1)。
2. 將鵝去內臟洗淨擦乾水份，鵝身與腹部抹上鹽及胡椒粉(圖 2)，再把培根鋪在身上，為防止培根烤時收縮以牙籤固定(圖 3)後，置於烤箱中的烤架(須抹油)上，烤架下置一烤盤接油，以 149°C(300°F)烤約 20 分鐘至培根烤乾時，取下培根置於接油盤內，然後將油盤中的油及蜂蜜刷在鵝身上，改用 176°C(350°F)，再烤約 1 小時，烤時應經常的刷油及蜂蜜。

● 油盤中的油可與鵝肉同時上桌，作沾食所用。
● 若烤箱太小可改用雞、鴨代替。

無骨雞腿

材料：

雞腿 3 隻　　　　洋葱 $\frac{1}{2}$ 個　　　　洋菇 4 個
火腿絲 $\frac{1}{2}$ 杯　　　胡椒粉適量　　　鹽 1 茶匙
酒適量　　　　　太白粉 2 大匙

作法：

1. 先把雞腿洗淨去骨(圖 1)，用鹽、酒及胡椒粉醃約半小時，醃好後把太白粉抹在肉面上(圖 2)。
2. 把洋葱、洋菇切絲與火腿絲、鹽拌勻，鋪在雞腿上，再將雞腿用線縫好(圖 3)，置於烤箱中的烤架(須抹油)上，以 176°C(350°F)烤約 30 分鐘。

鵪鶉田七烤雞

材料：

雞 1 隻	粗鹽 2 公斤
酒 1 茶匙	細鹽 1 茶匙
鵪鶉蛋 20 個	田七粉(或當歸粉)2 大匙

作法：

1. 雞洗淨，擦乾水份，由雞胸處剖開，整隻雞壓平，抹上酒，再灑上田七粉及鹽，醃約 20 分鐘(圖 1)。
2. 取一烤盤，鋪上鹽，再放上鵪鶉蛋(圖 2)，再蓋上鹽，上放三支湯匙(圖 3)，擺成三角形，再放上烤架，將雞擺上(圖 4)，以 204°C (400°F)烤 30 分後，將雞翻面，再烤 20 分鐘即可。

紙包雞

材料：

雞腿 4 隻	香菜少許	麻油少許
蝦仁 100 公克	香菇 5 朵	鹽 $\frac{1}{2}$ 茶匙
薑 3 片	蛋白 1 個	玻璃紙 1 張
酒 $\frac{1}{4}$ 茶匙	胡椒 $\frac{1}{4}$ 茶匙	

作法：

1. 雞腿去骨(圖 1)，切大薄片，拍鬆(圖 2)，以薑、酒、鹽、胡椒稍醃，放上蛋白拌勻。
2. 玻璃紙剪成 10 公分見方之大小。
3. 香菇泡軟去蒂切絲，蝦仁以少許鹽拌勻。
4. 玻璃紙抹上少許油，擺上 1 片雞肉，再放上蝦仁、香菇、香菜(圖 3)，灑上麻油，包密，接口處以濕太白粉沾黏(圖 4)。
5. 包好之雞肉放在盤內，再包上鋁箔紙，取一烤盤，內置水，以 149°C (300°F)半蒸烤約 30 分鐘。

烤鰻魚

材料：

河鰻 1 條	葱 2 根	薑數片
醬油 3 大匙	糖 1 大匙	酒 1 茶匙
鹽 $\frac{1}{4}$ 茶匙	芝蔴少許	

作法：

1. 用刀背將葱、薑拍爛，加入醬油、糖、酒、鹽拌勻把河鰻醃約 30 分鐘以上（圖 1）。
2. 將鰻魚以竹籤穿起以防烤時鰻魚收縮，置於烤架上並灑上芝蔴（圖 4），用 176°C（350°F）烤約 30 分鐘，烤時在魚身上刷上糖漿或蜂蜜。

河鰻處理法：

以錐子固定在板上並以木棒拍打魚身（圖 2）使其骨節鬆開，再用刀剖開腹部抽除內臟，順便將其椎骨片除（圖 3）。

●本作法可用炭烤烹食。

日式烤魚

材料：

魚 2 條
鹽 $\frac{1}{2}$ 茶匙
酒 1 大匙
薑數片

作法：

魚洗淨擦乾水份，用酒、鹽、薑片醃 30 分鐘（圖 1），再用竹籤將魚身穿起（圖 2），灑上鹽後置於烤架上用 204°C（400°F）烤約 20 分鐘。

●上桌時應淋上檸檬汁及胡椒鹽食用。

葱烤河鰻

材料：

河鰻 1 條	葱 10 根	醬油 2 大匙
芝麻少許	糖 1 大匙	酒 $\frac{1}{2}$ 茶匙
黑醋 1 大匙	蜂蜜 2 大匙	

作法：

河鰻洗淨擦乾切成三段，用醬油、黑醋、糖、酒醃 20 分鐘以上（圖 1），醃好後用竹籤串起，置於抹油的烤盤內，再把葱切絲擺在鰻魚上（圖 2），在烤箱內適當位置以 176°C（350°F）烤至葱乾後取出葱絲，再灑上芝麻及刷上蜂蜜再烤約 20 分鐘。

烤帶魚

材料：

帶魚 1 塊	薑數片
胡椒粉 $\frac{1}{4}$ 茶匙	鹽 1 茶匙

作法：

1. 帶魚洗淨擦乾（圖 1）切斜紋（圖 2），抹上鹽放上薑片醃 10 分鐘以上。
2. 烤架刷油，並在最適當位置放上帶魚，以 204°C（400°F）烤約 10 分鐘後翻面再烤 5 分鐘。

法式魚捲

材料：

旗魚或草魚 1 塊	鹽適量
酒 $\frac{1}{2}$ 小匙	高湯 $\frac{1}{2}$ 杯
太白粉 1 大匙	胡椒粉適量
培根絲 1 片	香菇絲、筍絲、紅蘿蔔絲各 1 杯
洋葱丁 1 大匙	

作法：

1. 把魚洗淨（圖 1）切成薄片（圖 2），用鹽、酒、胡椒粉醃約 20 分鐘，筍絲、香菇絲、紅蘿蔔絲以魚片捲起，用牙籤串好（圖 3）。
2. 捲好的魚捲放在盤內，用鋁箔紙包密，置放烤箱內以 176°C（350°F）烤 20 分鐘取出。
3. 炒鍋內加 3 大匙油以洋葱爆香，加入培根絲、高湯並用太白粉勾芡淋在魚捲上即可。

味噌魚

材料：

土托魚 2 片	味噌 $\frac{1}{4}$ 杯	醬油 2 大匙
糖 1 大匙	薑數片	酒 1 大匙

作法：

1. 將魚洗淨擦乾(圖 1)，以味噌、醬油、糖、酒調勻加入薑片把魚醃 2 小時以上(圖 2)。
2. 把烤架塗油再將魚片置於烤架上，以 204°C(400°F)烤約 20 分鐘即可。

烤蛤蜊

材料：

蛤蜊 600 公克	蛋白 1 個	鹽 1 茶匙

作法：

蛤蜊用鹽水浸泡吐泥沙後洗淨(圖 1)，以薄刀切除殼外連鍵的小黑蒂(圖 2)，並在殼上刷上蛋白(圖 3)後置於耐高溫的盤內，再把鹽灑在蛤蜊上，置於烤箱內適當位置以 176°C(350°F)烤 8～10 分鐘即可。

醃烤鯧魚

材料：

鯧魚 1 條	黑醋 1 大匙	醬油 3 大匙
糖 1 大匙	蘿蔔汁 $\frac{1}{4}$ 杯	

作法：

1. 將魚去內臟洗淨擦乾(圖 1)，在魚背斜切深紋至骨，但不可切斷(圖 2)，再將所有作料拌勻將魚醃約 40 分鐘以上(圖 3)。
2. 把烤架刷油將魚置於架上，以 204°C(400°F)烤約 30 分鐘。

●選魚時應注意新鮮度，醃料內加上蘿蔔汁可去除魚腥味。

紙包鮮魚

材料：

海魚 1 條	火腿 1 片	香菇 2 朵
辣椒 1 根	薑 3 片	蔥 2 根
鹽 1 茶匙	酒 $\frac{1}{2}$ 大匙	網油 1 張
水 $\frac{1}{4}$ 杯		

作法：

1. 將魚去內臟洗淨擦乾(圖 1)，並在背部劃上刀紋(圖 2)，再把魚身內、外抹上鹽稍醃，香菇泡軟去蒂，蔥、薑切絲備用。
2. 將魚置於盤內再擺上蔥、薑、火腿、及香菇(圖 3)，再將網油鋪上，以鋁箔紙將盤子包密(圖 4)，置於烤箱內適當位置以 176°C（350°F）烤 35～40 分鐘即可。
3. 把烤好的魚打開鋁箔紙，換上新鮮之蔥、薑、辣椒絲，再淋上一大匙的熱油即可。

菊花魷魚

材料：

花枝 2 條	絞肉 200 公克	荸薺 3 個
青豆少許	太白粉 1 大匙	鹽 1 茶匙
麻油少許	蔥 1 根	水 4 大匙

作法：

1. 把絞肉、荸薺、蔥剁碎後拌勻(圖 1)，加入鹽、太白粉、麻油調勻(圖 2)備用。
2. 花枝去皮，頭尾切掉腹部不要切開，用筷子將腸泥抽除洗淨，再切成 5 公分段，然後把每段 2.5 公分處以放射狀式切開(圖 3)，再用開水稍燙使其定形成菊花狀。
3. 將拌勻的絞肉填在花枝內(圖 4)，以鋁箔紙包密置於裝水的烤盤內，放入烤箱以 176°C（350°F）烤 25～30 分鐘即可。

香菜鱈魚

材料：

鱈魚 1 片	香菜適量	酒 1 大匙
鹽 1 茶匙	薑 1 塊	水 2 大匙

作法：

1. 將魚洗淨擦乾水份（圖 1），在背部切數刀（圖 2），抹上鹽略醃。香菜剁碎，薑切成絲，灑在魚身上（圖 3），淋上酒、水。
2. 用鋁箔紙將魚包密放在盛水的烤盤上，置於烤箱中以 176℃（350°F）半蒸烤約 30～40 分鐘。

土司蝦托

材料：

土司 6 片	蝦 12 隻	荸薺數粒
絞肉 150 公克	蛋 1 個	太白粉 1 大匙
麻油少許	葱 1 根	胡椒 $\frac{1}{4}$ 茶匙
鹽 $\frac{1}{2}$ 茶匙		

作法：

1. 把絞肉、葱、荸薺剁碎，加入蛋、鹽、麻油、太白粉拌勻備用（圖 1）。
2. 將蝦去殼及頭部並抽除泥腸洗淨擦乾，在泥腸線上用刀切開壓平，使其尾部攤開（圖 2）。
3. 土司去邊切半（圖 3），將絞肉鋪上再把蝦子擺上（圖 4），把完成的土司置於烤箱中的烤架上，以 149℃（300°F）烤約 15 分鐘。

檸檬蝦

材料：

蝦 600 公克	檸檬汁 2 大匙	酒 1 大匙
鹽 $\frac{1}{2}$ 茶匙	薑 3 片	

作法：

將蝦抽泥腸洗淨瀝乾水份(圖1)，取一鋁箔紙鋪平，放上蝦，淋上檸檬汁、酒、鹽及薑片(圖2)包密，置於烤箱中以 176℃(350°F)烤約 20 分鐘。

乳酪雙魷

材料：

泡發魷魚 1 條	花枝 1 條	乳酪粉 2 大匙
牛油 1 大匙	胡椒粉 $\frac{1}{4}$ 小匙	鹽 $\frac{1}{2}$ 茶匙

作法：

魷魚及花枝去皮洗淨，在腹面切十字形花紋，再切成大塊。鋁箔紙鋪平放上花枝、魷魚，灑上鹽、胡椒粉、乳酪粉(圖1)，並放上牛油，將鋁箔紙包密(圖2)置於烤箱內，以 176℃(350°F)烤約 15 分鐘即可。

烤鰈魚

材料：

鰈魚 2 條	蕃茄 1 個	牛油 2 大匙
鹽 $\frac{1}{2}$ 茶匙	胡椒粉 $\frac{1}{4}$ 茶匙	乳酪粉 2 大匙

作法：

1. 鰈魚洗淨擦乾水份抹上鹽(圖1)。
2. 蕃茄切片，把牛油隔水加熱溶化，烤盤抹油放上鰈魚，灑上胡椒粉及乳酪粉(圖2)，鋪上蕃茄片淋上牛油(圖3)，置於烤箱中適當位置，以 204℃(400°F)烤約 10 分鐘。

魚排

材料：

旗魚 1 片　　　　　　鹽 $\frac{1}{2}$ 茶匙

胡椒粉 $\frac{1}{4}$ 茶匙　　　薑 3 片

麵粉 3 大匙　　　　　牛油 2 大匙

酒 1 茶匙

蛋 1 個

作法：

1. 把魚洗淨擦乾水份，用鹽、酒、胡椒粉及薑醃約 20 分鐘（圖 1）。
2. 蛋白與蛋黃分開，將蛋黃調入麵粉內，加鹽及水調至稠狀（圖 2）。
3. 將醃好的魚片兩面沾上蛋白，再沾上麵糊（圖 3），置於刷油的烤盤上，再淋上剩下的麵糊，置於已預熱的烤箱中，以 176°C（350°F）烤約 10 分鐘，刷上牛油再翻面刷牛油，再烤約 10～15 分鐘。

法式焗蟹

材料：

螃蟹 2 隻　　　　洋菇 3 朵　　　　洋蔥 $\frac{1}{4}$ 個

奶水 $\frac{1}{4}$ 杯　　　　牛油 3 大匙　　　麵粉 2 大匙

培根 1 片　　　　胡椒粉適量　　　鹽 $\frac{1}{4}$ 茶匙

作法：

1. 螃蟹剝除外殼將鰓及砂囊取出，洗淨（圖 1），再把蟹肉挖出（圖 2）備用。
2. 把洋蔥、洋菇、培根切成小丁，再用炒鍋將牛油 3 大匙溶化，以洋蔥爆香，放入培根、麵粉炒香後，加入奶水、水煮至濃稠狀（圖 3），再加入洋菇、蟹肉、鹽及胡椒炒至熟，取出填入螃蟹殼內（圖 4），置於烤箱中以 176°C（350°F）烤約 15 分鐘，刷上牛油再烤 5 分鐘呈金黃色即可。

四味蝦

材料：

草蝦 300 公克　　　鹽 $\frac{1}{4}$ 茶匙　　　酒 1 茶匙

作法：

1. 將蝦泥腸抽除洗淨瀝乾(圖 1)，再取一鋁箔紙鋪平放上草蝦、鹽、酒然後將紙包密(圖 2)，置於烤箱內以 176°C(350°F)烤約 20 分鐘至蝦殼變紅即可。
2. 將蝦待涼剝除頭、殼，對切成二半排盤與各種醬汁一齊上桌。

醬汁調製法：

芥末汁：芥末粉用酒調成泥狀再加冷水調成稀狀，以蒸氣蒸約 2 分鐘，使其出味，再加少許鹽及糖。

薑醋汁：薑剁成末加水、醋、糖調勻即可。

糖醋汁：用油炒糖、醋、水、鹽、麻油再以太白粉勾薄芡即可。

蠔油汁：用油炒蠔油加水、麻油即可。

◉水煮與蒸的烹飪法與紙包烤法的烹食差別很大，何不嘗試一下

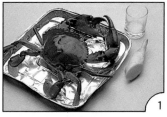

鋁紙包紅蟳

材料：

紅蟳 1 隻　　　薑 1 小塊　　　酒 1 茶匙

作法：

將紅蟳剁除殼(圖 2)取出鰓及砂袋(圖 3)洗淨後擦乾水份，再把薑切片與紅蟳、酒以鋁箔紙包密(圖 4)，置於烤箱適當位置以 176°C(350°F)烤約 25～30 分鐘。

◉可與薑醋汁同時上桌
◉選購紅蟳時應購買活的且肉肥的更佳。

牡蠣蛋

材料：

牡蠣 300 公克	蔥 2 根	蛋 3 個
沙拉油 1 大匙	太白粉 2 大匙	水 $\frac{1}{3}$ 杯
鹽 $\frac{1}{2}$ 茶匙	酒 $\frac{1}{4}$ 茶匙	

作法：

把牡蠣洗淨瀝乾水份（圖 1），再將蛋打勻加入酒、鹽、蔥末、水及太白粉拌勻（圖 2）。取一烤模或耐熱碗並塗上沙拉油，倒入調勻的蛋液，並拌入牡蠣（圖 3）後，置於烤箱，以 176°C（350°F）烤約 15 分鐘。

● 可以蕃茄醬或海鮮醬佐食。

釀海參

材料：

海參 3 條	蔥 2 根	荸薺數粒
絞肉 400 公克	太白粉 3 大匙	醬油 3 大匙
糖 1 大匙	鹽 $\frac{1}{4}$ 茶匙	

作法：

把荸薺去皮與蔥剁碎（圖 1）拌入絞肉及鹽（圖 2），再將海參抽除泥腸洗淨擦乾水份，並將太白粉沾在海參肚內（圖 3），把拌勻的絞肉塞入海參內（圖 4）後，置於盤內，倒入醬油、糖及 $\frac{1}{4}$ 杯水，用鋁箔紙包密，烤盤內置水置於烤箱適當位置，以 176°C（350°F）蒸約 40 分鐘。

● 用此烹飪法可使肉質鮮美，原味不流失，若用蒸食，肉質較爛且原味也易隨蒸氣流失。

焦殼烤蛋

材料：

蛋(煮熟去殼)4 個	蝦仁 150 公克	絞肉 150 公克
荸薺數粒	太白粉 3 大匙	蔥 2 根
胡椒少許	鹽 $\frac{1}{2}$ 茶匙	麻油少許

作法：

1. 把蝦仁、荸薺、蔥剁碎(圖1)，拌入絞肉、1 大匙的太白粉、胡椒粉、鹽及麻油攪拌均勻(圖2)備用。

2. 將 2 大匙的太白粉用水調至稠狀，塗抹在蛋上(圖3)，再將拌勻的絞肉分成 4 等份裹在蛋上(圖4)，將蛋置於烤箱中的烤盤上適當位置，用 176℃(350°F)烤 20～25 分鐘，並在烤至中途時，在肉上刷油可防止肉質乾硬。

明月肉丸

材料：

蛋(煮熟去殼)3 個	牛奶 $1\frac{1}{4}$ 杯
鹽 $\frac{1}{2}$ 茶匙	牛油 3 大匙
麵粉 3 大匙	麵包粉 2 大匙
胡椒粉 $\frac{1}{4}$ 茶匙	
起士粉或磨碎起士 $\frac{1}{2}$ 杯	

作法：

1. 將牛油溶化放入麵粉炒香(圖2)，慢慢倒入牛奶不停的攪拌，使其成稠狀後加入鹽、胡椒及 $\frac{1}{4}$ 杯的起士粉(圖3)，以小火煮至起士粉溶化備用。

2. 用耐熱碗放上蛋，把麵糊倒入(圖4)，灑上 $\frac{1}{4}$ 杯的起士粉及麵包粉，置於烤箱內適當位置，以 149℃(300°F)烤約 25 分鐘即可。

●此作法也可改用油炸法。

皇冠排骨

材料：

小排骨 10～12 根	玉米粒 2 杯	馬鈴薯 3 個
青豆少許	起士粉 1½ 大匙	鹽 1 茶匙

醃料：

胡椒粉 ½ 茶匙	蕃茄醬 4 大匙	糖 1 大匙
醬油 3 大匙		

作法：

1. 先把排骨的贅肉切除（圖 1），再把上端骨間的肉約 1.5 公分割除以備裝飾時所用（圖 2），將醃料混合後與排骨醃 1 小時以上。
2. 把馬鈴薯煮熟切成小丁，切下的贅肉切小丁於鍋內炒熟再加入玉米、馬鈴薯丁、青豆、鹽，略炒起鍋備用。
3. 將醃好的排骨光滑面向外捲成圓筒狀，用針縫起（圖 3），並置於盤上，並加入內餡填滿（圖 4），然後灑上起士粉便可置於烤箱內適當位置，以 149°C（300°F）烤 50～60 分鐘即可。

● 排骨的選擇：應選整塊的肋骨約 10～12 根，並請肉商剁整齊。
● 因排骨高度的關係，上端較易烤焦，可以在烤 20 分鐘後在上端加上鐵盤或鋁箔紙。

百花釀菇

材料：

香菇 30 朵	太白粉 2 大匙
蔥 2 根	絞肉 200 公克
蝦仁 30 個	鹽 1 茶匙

作法：

1. 把蔥剁碎與絞肉、½ 茶匙鹽和勻，蝦仁抽除泥腸瀝乾水份調入 ½ 茶匙的鹽。（圖 1）
2. 香菇用溫水泡軟並切除硬蒂（圖 2），將太白粉抹在香菇內部（圖 3），再把絞肉填塞在香菇內並放上一個蝦仁（圖 4）。
3. 把作好的香菇置於盤內以鋁箔紙包密，取一烤盤內置水將包好之香菇放上，置於烤箱內以 176°C（350°F）烤約 30 分鐘即可。

蜜汁果串

材料：

香蕉 2 根	水蜜桃(罐頭)4 片	檸檬汁少許
裏脊肉 300 公克	蜂蜜 $\frac{1}{2}$ 杯	竹籤數根

作法：

1. 將裏脊肉切約 1 吋之四方塊(圖 2)，再把水蜜桃每塊切成三等份，香蕉去皮切片並淋上檸檬汁以防變黑。
2. 裏脊肉先以 $\frac{1}{4}$ 杯蜂蜜醃泡 20 分鐘(圖 3)，再與水蜜桃、香蕉間隔排列用竹籤串好(圖 4)，刷上蜂蜜置於烤架上，用 176°C(350°F)烤約 30 分鐘，並在烤時反覆刷上蜂蜜，味道更佳。

●選用裏脊肉時不可使用冷凍的肉類。

葱烤肉串

材料：

裏脊肉 600 公克	葱 10 根	醬油 3 大匙
糖 1 大匙	胡椒粉 $\frac{1}{2}$ 茶匙	牙籤 20 根
蜂蜜 2 大匙		

作法：

1. 裏脊肉切成薄片(圖 2)以刀背拍鬆，並用醬油、糖、胡椒粉醃約 30 分鐘以上(圖 3)。
2. 葱切段，每片肉捲上葱段，並以牙籤串起(圖 4)，串好後置於烤架上，以 204°C(400°F)烤約 20 分鐘，烤時可在肉上刷上蜂蜜。

五香豬肝

材料：

豬肝 1 大塊	醬油 5 大匙	酒 1 大匙
糖 1 大匙	八角 2 粒	花椒 1 茶匙
桂皮 1 片	蔥 2 根	薑 3 片

作法：

1. 將豬肝（圖 1）割除筋絡（圖 2）洗淨擦乾，並在豬肝隆起面劃一公分厚度之刀痕（圖 3），以便醃汁滲入。
2. 把蔥、薑用刀背拍爛加入所有的作料將豬肝醃約 2 小時以上（圖 4），再置於烤架上適當位置，以 176°C（350°F）烤約 30 分鐘。
3. 豬肝烤好後取出刷上少許麻油，待涼切片裝盤即可。

茄汁排骨

材料：

小排骨 600 公克	大蒜 3 粒	蕃茄醬 2 大匙
醬油 3 大匙	糖 1 大匙	酒 $\frac{1}{2}$ 茶匙
蜂蜜 2 大匙		

作法：

把排骨洗淨切成長塊（圖 1），再將大蒜去皮拍碎與蕃茄醬、醬油、糖、酒拌勻，將排骨肉醃 40 分鐘（圖 2）後，置於烤架上以 204°C（400°F）烤約 25～30 分鐘，烤時不斷刷上蜂蜜。

◉以同樣的排骨可做咖哩排骨，作法皆相同，只是醃料不同。

咖哩排骨醃料：

咖哩粉 2 大匙	酒 1 大匙	醬油 1 大匙
糖 1 大匙	鹽 $\frac{1}{2}$ 茶匙	洋蔥末 $\frac{1}{4}$ 杯

菲力牛排

材料：

菲力牛排 1 條　　　胡椒粉 1 茶匙

紅蘿蔔 $\frac{1}{2}$ 根　　　洋葱 $\frac{1}{2}$ 個

鹽 1 大匙

芥末醬 3 大匙

芹菜(去葉)2 根

作法：

把菲力條洗淨，將表面之筋、贅油在未退冰前用刀割除(圖 1)，再抹上鹽、芥末醬(圖 2)，置於烤盤上，洋葱切成圓薄片、紅蘿蔔切片、芹菜切段鋪在菲力條上，再灑上胡椒粉(圖 3)，置於烤箱內適當位置，以 176℃(350°F)烤 15～20 分鐘即可。

◉上桌時可配蘑菇醬或黑胡椒醬，由各人自己切塊添加醬汁。

鮮鮑牛排

材料：

新鮮鮑魚 1 個

胡椒粉少許

醃肉汁 3 大匙

牛排 1 塊

作法：

1. 將鮑魚洗淨割除黃色的厚皮部份(圖 1)，並把邊緣部份切割數刀，以刀背拍打至肉鬆薄(圖 2)，然後以醃肉汁(請參考 121 頁醃肉汁作法)醃 30 分鐘(圖 3)，灑上胡椒粉置於預熱的烤箱內適當位置，烤 6～8 分鐘取出。

2. 把鐵板用瓦斯爐燒熱，放上牛油 1 大匙，再把鮑魚及烤好的菲力牛排放上，以青菜裝飾，以黑胡椒醬或蘑菇醬(參考 123 頁)淋上。

羊排

材料：

羊排 1 條　　　　鹽 1 大匙
洋蔥 $\frac{1}{2}$ 個　　　胡椒粉 1 茶匙
醃酒汁 2 大匙

醃酒汁作法：

當歸 2 條及少許參鬚用 500 cc的米酒泡約 1 個月即可。

作法：

1.羊排洗淨擦乾水份(圖 1)，抹上鹽、胡椒粉(圖 2)，再將醃酒汁淋在肉上(圖 3)，醃約半小時以上。
2.把羊排放於烤箱中的烤盤上，放上切成圓圈的洋蔥(圖 4)，以204°C(400°F)烤 30～40 分鐘。

◉羊排的選擇應選進口冷凍的羊排

神戶牛排

材料：

神戶牛排 1 塊　　　　鹽 $\frac{1}{4}$ 茶匙　　　　胡椒粉 $\frac{1}{4}$ 茶匙

醃肉汁材料：

米酒 $\frac{1}{2}$ 杯　　　梅林辣醬油 1 瓶　　　香菇 5 朵
薑 1 塊　　　　　蒜 10 粒　　　　　　洋蔥 $\frac{1}{2}$ 個
糖 2 大匙　　　　鹽 1 大匙　　　　　　月桂葉(香葉)5 片

醃肉汁作法：

將洋蔥、大蒜、薑、香菇洗淨完全瀝乾水份切成大塊，與米酒、辣醬油、糖、月桂葉置於大瓶內醃二天以上，醃時與保存應置於冰箱冷藏室內(圖 2)。

作法：

將 5 大匙醬汁淋在牛排上，醃半小時以上(圖 1)，再抹上鹽及胡椒粉，置於烤箱的烤架上，烤箱預熱，以 176°C(350°F)烤 20～25 分鐘，取出後置於盤內淋上蘑菇醬汁(作法參考 123 頁)即可。

◉牛排應選購進口的冷凍牛排為宜。
◉醃肉醬汁用途很廣，可醃雞腿、豬排等。

青椒牛肉串

材料：
牛肉 600 公克
蕃茄 1 個
洋菇罐頭 1 罐
洋葱 1 個
醃肉汁 1 杯

作法：
1. 青椒以水燙過，取出用冷水沖涼後切塊(圖 2)。
2. 牛肉、蕃茄、洋葱皆切成大小相同之塊狀。
3. 以竹籤或鐵籤將洋葱、肉、青椒、洋菇、蕃茄照順序串起(圖 3)，將串好之肉串放在盆內，淋上醃肉汁(圖 4)，(請參照神戶牛排醃肉汁作法)醃約 30 分鐘，放入烤箱之烤架上，以 176℃(350°F)烤約 25 分鐘，烤時可以不斷刷上醃肉汁，最後再刷上少許牛油即可。

沙朗牛排

材料：
沙朗牛排 1 塊
醃肉汁 1 杯

作法：
1. 冷凍牛肉解凍之前，為了防止血水流出，影響肉質的鮮嫩，必須在肉之表面先抹上沙拉油，以防止血水流出，解凍中途，應注意翻面。(圖 1)
2. 解凍之牛肉，以醃肉汁醃約 30 分鐘(圖 2)，醃好後，放入烤箱以 204℃(400°F)烤約 15 分鐘，使用時放在烤好之鐵板上，淋上醬汁即可食用。

黑胡椒醬汁作法：
鍋中熱牛油 2 大匙(火不可過大，否則牛油極易燒焦)，放入 1 大匙之蒜末及 1 大匙洋葱末，炒至金黃色，放入黑胡椒 2 大匙炒香，放入白蘭地酒 1 茶匙、鮮奶油 1 大匙及高湯 $\frac{1}{2}$ 杯煮開後，以麵糊勾芡，至稠狀即可。

蘑菇醬汁作法：
鍋中熱牛油 2 大匙，放入 1 大匙洋葱末及 2 片切片之培根爆香，放入 1 個去皮的蕃茄丁、蘑菇片，淋上白蘭地酒炒香，放入高湯 1 杯及蕃茄醬、鹽適量調味，煮至稍稠，以麵糊勾芡即可。

釀青椒

材料：

青椒 4 個　　　　蛋白 1 個　　　　牛絞肉 500 公克
洋葱 $\frac{1}{3}$ 個　　　麵包粉 $\frac{1}{2}$ 杯　　　蕃茄醬 $1\frac{1}{2}$ 大匙
鹽 1 茶匙

作法：

1. 先以沸水把青椒略燙使其稍軟（圖 1），取出用冷水沖涼後將頂部切掉，再把內部的籽挖出（圖 2），並在內部塗上太白粉（圖 3）。
2. 把牛絞肉、蕃茄醬、鹽、蛋白拌勻，再拌入麵包粉及切碎的洋葱拌勻填入青椒內（圖 4），再置於烤盤上以 149°C（300°F）烤約 15 分鐘後，再改以 176°C（350°F）烤 15 分鐘。

●牛絞肉可改用豬絞肉代替。

填塞蕃茄

材料：

蕃茄 6 個　　　　熟花生 $\frac{1}{2}$ 杯　　　牛油 1 大匙
糖 1 大匙　　　　鹽 $\frac{1}{2}$ 茶匙　　　麵包粉 1 杯
乳酪粉 $\frac{1}{2}$ 杯　　香菜少許

作法：

1. 把蕃茄自頂部切開挖出肉置於容器內（圖 2），再把花生去皮與香菜剁碎後加入麵包粉、牛油、乳酪粉與挖出之蕃茄肉拌勻（圖 3），塞入蕃茄殼內（圖 4）。
2. 將蕃茄置於烤盤內以 176°C（350°F）烤 20 分鐘。

釀南瓜

材料：

南瓜 1 個　　　　蝦米 $\frac{1}{4}$ 杯　　　　鹽 $\frac{1}{2}$ 茶匙
酒 $\frac{1}{2}$ 茶匙　　　雞柳 300 公克

作法：

1. 蝦米泡軟，雞肉切丁（圖 1），再將南瓜洗淨切半去籽，肉挖出備用，南瓜皮留邊約 0.5 公分備用（圖 2）。
2. 在鍋中熱油把蝦米爆香加入酒、南瓜肉、雞丁及鹽炒軟後填入南瓜殼內，並以鋁箔紙包好置於烤箱內以 176°C（350°F）烤約 30 分鐘。

乳酪地瓜

材料：

地瓜 600 公克
乳酪粉 $\frac{1}{2}$ 杯

作法：

1. 地瓜洗淨外皮，用大火蒸約 30 分鐘至肉熟透，取出待涼後切半，挖出肉，殼留邊 0.5 公分。
2. 將挖出的肉與乳酪粉拌勻（圖 2），填入每個殼內（圖 3），置於烤箱適當位置以 204°C（400°F）烤 10～15 分鐘。

◉乳酪粉也可改用奶油乳酪。

奶油白菜

材料：

包心白菜 1 棵　　　奶水 $\frac{1}{2}$ 杯
鹽 $\frac{1}{2}$ 茶匙　　　　蝦米 $\frac{1}{4}$ 杯
麵粉 3 大匙　　　　牛油 5 大匙
培根 2 片

作法：

1. 將包心白菜洗淨切大塊瀝乾水份，蝦米用溫水泡軟，培根切成小丁（圖 1）。
2. 在炒鍋中加 3 大匙牛油以蝦米爆香後加入培根、白菜、奶水、鹽，燜煮至爛盛起（圖 2）。
3. 再將麵粉以 4 大匙油炒香後加入煮白菜的湯及少許的水煮至稠狀，取一耐熱碗將白菜與 $\frac{1}{2}$ 麵糊拌勻，再把 $\frac{1}{2}$ 麵糊淋在白菜上，置於烤箱適當位置，以 176°C（350°F）烤約 35 分鐘。

中式點心

基本油酥皮作法：

內皮材料：
低筋麵粉 100 公克
豬油 50 公克
外皮材料：
中筋麵粉 150 公克
豬油 60 公克
糖$\frac{1}{2}$大匙
溫水$\frac{1}{4}$杯

①低筋麵粉與豬油拌勻即為內皮。

②拌成長方塊。

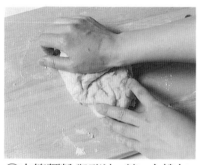
③中筋麵粉與豬油、糖、水拌勻揉至光滑。

④醒約 20 分，即為外皮。

⑤內皮照所需之大小分成數等份。

⑥外皮也照所需之大小分成數等份。

⑦外皮包內皮（要包密）。

⑧擀成長條狀捲起。

⑨再擀成長條狀。

⑩再捲起。

⑪捲好之油酥皮，平擀成圓薄片即可。

129

廣式月餅

外皮材料：

轉化糖漿 150 公克　　　花生油 50 公克　　　鹼油 5 公克

低筋麵粉 210 公克

內餡材料：

核桃 50 公克　　　冰肉 20 公克　　　棗泥 1500 公克

作法：

1. 外皮之所有材料和勻成麵糰，醒約 30 分鐘（圖 1）後，分成 30 公克一塊之小麵糰。
2. 內餡和勻（圖 2），分成 100 公克一粒，以外皮包入內餡（圖 3），放入模型內（圖 4），再扣出，放在烤盤上，放入烤箱，刷上蛋黃水，以 149°C（300°F）烤 25 分鐘。

轉化糖漿材料：

黃砂糖 1000 公克　　　水 300 公克　　　蘇打粉 $\frac{1}{2}$ 茶匙

檸檬 2 個或酸梅滷一杯

轉化糖漿作法：

將黃砂糖與水及酸梅滷燒開後，以小火熬煮至黏稠（約 1 小時），再將調水之蘇打粉拌入燒開，取出待涼，將糖漿過濾，以瓶子密封，放置約一星期，使糖漿穩定，即可製作。

豆沙小西餅

外皮材料：

牛油 50 公克　　　糖粉 40 公克

低筋麵粉 200 公克　　　黑芝麻少許

蛋 1 個

內餡材料：

豆沙 300 公克

作法：

1. 糖粉與麵粉分別篩過。
2. 牛油與糖粉打發後，加入蛋續打，然後與麵粉拌勻（圖 1）。
3. 將麵糰擀成約 6 公分寬之長條狀（圖 2），豆沙搓成長條，以麵皮將豆沙捲起（圖 3），捏口朝下，將豆沙捲切成約 3 公分之小段（圖 4），刷上蛋黃水，灑上黑芝麻，放在烤盤上，以 176°C（350°F）烤約 25 分鐘，至呈金黃色即可。

一口酥

油皮材料：

低筋麵粉 100 公克　　　　豬油 $\frac{1}{4}$ 杯

水皮材料：

高筋麵粉 150 公克　　　綿白糖 2 大匙　　　開水 $\frac{1}{4}$ 杯

豬油 $\frac{1}{4}$ 杯

內餡材料：

綿白糖 4 大匙　　　炒熟麵粉 4 大匙　　　豬油 3 大匙

鹽少許　　　　　　黑芝麻粉 2 大匙

作法：

1. 內餡之所有材料混合成糰，取一方盆子將餡壓緊，放入冰箱冰約 20 分鐘，取出切成 1 公分四方之小方塊（圖1）。
2. 油皮之低筋麵粉與豬油和勻。
3. 水皮之麵粉、糖、豬油、水揉成軟軟之麵糰，若不夠軟，可再加少許水和勻，成光滑之麵糰後，以乾布蓋住，使其醒約 1 小時以上。
4. 醒好之麵糰，水皮包油皮（圖2），擀成一大薄片，摺疊再擀一次，然後捲起（圖3），再搓成長條狀，切成 1 公分之小段（圖4），擀平，包入 1 粒內餡，以 149°C（300°F）烤約 20 分鐘。

鳳梨酥

材料：

低筋麵粉 300 公克　　　　糖粉 60 公克

蛋黃 2 個　　　　　　　　奶粉 25 公克

水 25 公克　　　　　　　　小蘇打 $\frac{1}{8}$ 茶匙

牛油 150 公克　　　　　　鳳梨膏約 600 公克

蛋白 $\frac{1}{2}$ 個

阿摩尼亞 $\frac{1}{8}$ 茶匙

作法：

1. 牛油，糖粉以打蛋器打發後，將蛋慢慢加入打勻（圖1）。
2. 麵粉與奶粉混合篩過，倒在麵板上，將打好之牛油倒在麵粉上，以麵刀慢慢切勻（圖2），再加入調水之阿摩尼亞與蘇打粉，用手壓勻，至麵糰光滑。
3. 每 160 公克麵糰分成 8 小塊，鳳梨膏也切成相同大小。
4. 將每小塊鳳梨膏與麵糰都搓成光滑之圓球狀，每小塊麵糰包入 1 小粒鳳梨膏（圖3），搓成粒狀，麵板灑上高筋麵粉，每粒搓成長條狀，放入模內（圖4），以手掌壓平，放入烤箱內，以 149°C（300°F）烤約 20 分鐘。

◉鳳梨膏以少許牛油拌勻，吃時才不會黏嘴。

蛋黃酥

材料：

基本油酥皮 1 份　　　　黑芝麻少許

蛋黃水適量

內餡材料：

紅豆沙 200 公克　　　鹹蛋黃 $7\frac{1}{2}$ 個

作法：

1. 鹹蛋黃噴上酒，放在抹油的烤盤上，烤約 3 分鐘，去除腥味，取出待涼。
2. 紅豆沙分成 15 等份，蛋黃切半，將蛋黃以豆沙包密，搓成圓球狀（圖 1）。
3. 油酥皮分成 15 等份(作法請參照 129 頁基本油酥皮之作法)。將作好之油酥皮擀成圓薄片，包入豆沙（圖 2），成圓球狀，捏口朝下，刷上蛋黃水（圖 3），灑上芝麻（圖 4），放入烤箱，以 149°C（300°F）烤 25 分鐘。

棗泥菊花酥

材料：

基本油酥皮 1 份　　　色素少許

內餡材料：

棗泥 300 公克

作法：

1. 棗泥分成 15 等份，搓成圓球狀。
2. 油酥皮分成 15 等份（作法請參照 129 頁基本油酥皮作法）。
3. 擀好之油酥皮包入 1 粒棗泥（圖 1）後，以手壓平（或以擀麵杖擀平也可）（圖 2），以刀在邊緣等切為 8 等份（中間不可切斷）（圖 3）。
4. 用手指將刀口翻轉半圈（圖 4），邊緣捏尖，中間部份以黃色色素點上一小點，好像菊花的花蕊一樣。
5. 放入烤箱，以 149°C（300°F）烤約 20 分鐘。

杏仁酥

材料：

低筋麵粉 265 公克　　　牛油 50 公克

細砂糖 50 公克　　　　　蛋 1 個

小蘇打 5 公克　　　　　杏仁霜 5 大匙(或杏仁精 1 茶匙)

豬油 100 公克　　　　　杏仁數 10 粒

綿白糖 60 公克　　　　　杏仁角½杯

阿摩尼亞¼茶匙

作法：

1. 綿白糖與細砂糖放在盆中，中間放入蛋液、蘇打粉、阿摩尼亞混合好（圖1），放入豬油與牛油拌勻（圖2），再加入杏仁霜、麵粉、杏仁角拌勻，揉成麵糰（圖3）。

2. 將麵糰分成 30 公克一粒之小球，搓成圓球，中間挖一洞（圖4），中間放上一粒杏仁粒（圖4），放入烤盤內，以 149°C（300°F）烤約 25 分鐘。

太陽餅

材料：

基本油酥皮 1 份

內餡材料：

麥芽膏 2 大匙　　　　低筋麵粉 3 大匙　　　　糖粉 1 杯

奶粉 2 大匙　　　　　水 1 大匙　　　　　　牛油 2 大匙

作法：

1. 糖粉與麥芽膏搓勻，加入牛油、麵粉、奶粉拌勻，加入水揉成麵糰（圖1），分成 10 等份。

2. 油酥皮分成 10 等份（作法請參照 129 頁基本油酥皮作法）。

3. 油酥皮擀成麵皮（圖2），包入內餡（圖3），一定要捏緊，壓平（圖4），放入烤箱，以 149°C（300°F）烤約 20 分鐘。

咖哩角

材料：

基本油酥皮 1 份　　　　黑芝蔴少許

蛋黃水 1 份

內餡材料：

絞肉 300 公克　　　咖哩粉 1 大匙　　　鹽 $\frac{1}{2}$ 茶匙

醬油 1 茶匙　　　　太白粉 1 茶匙　　　洋葱末少許

作法：

1. 油酥皮分成 10 等份（作法請參照 129 頁基本油酥皮作法）。
2. 豬肉拌入醬油及調水的太白粉，鍋中熱油，爆香洋葱末，再放入豬肉，炒至肉粒分離，拌入咖哩粉炒香（圖 1）。
3. 將油酥皮擀好，包入內餡（圖 2），包成餃子狀，並捏出花邊（圖 3），刷上蛋黃水，灑上黑芝蔴（圖 4），放入烤箱，以 149°C（300°F）烤約 25 鐘。

蘿蔔絲餅

材料：

基本油酥皮 1 份　　　　白芝蔴適量

內餡材料：

白蘿蔔 600 公克　　　葱花 1 大匙

胡椒、鹽適量

作法：

1. 油酥皮分成 10 等份（作法請參照 129 頁基本油酥皮作法）。
2. 白蘿蔔去皮刨絲，加鹽 1 大匙拌勻，約 10 分鐘後去水（圖 1）。鍋中熱少許油，爆香葱花，加入蘿蔔絲炒熟，並加入鹽、胡椒粉調味。
3. 捲好之基本油酥皮由橫面切斷（圖 2），採立酥擀圓（圖 3），取一麵皮，將餡包入，再扣上另一麵皮，在四周捏出花邊（圖 4）。
4. 包好後，上面刷上蛋黃水，灑上白芝蔴，置於預熱的烤箱中，以 149°C（300°F）烤約 20 分鐘即可。

核桃酥

材料：

低筋麵粉 265 公克　　　細砂糖 75 公克
豬油 150 公克　　　　　蛋 1 個
核桃丁 50 公克
綿白糖 75 公克
小蘇打粉 5 公克

作法：

1. 低筋麵粉篩過。
2. 綿白糖與細砂糖倒在盆內，中間放入蘇打粉、蛋（圖 1），用手拌勻，再倒入豬油，和勻後，放入低筋麵粉（圖 2），揉成糰，分割成每個 30 公克之麵糰（圖 3），揉成圓形，中間挖一洞，不要到底，放入核桃丁（圖 3），置烤箱，以 149°C（300°F）烤約 25 分鐘。

方塊酥

材料：

高筋麵粉 150 公克　　　白油 185 公克　　　鹽 5 公克
低筋麵粉 150 公克　　　糖 40 公克　　　　水 200 公克
蔥花 3 大匙　　　　　　白芝麻 $\frac{1}{2}$ 杯

作法：

1. 先將高、低筋麵粉混合，再加入白油用麵刀剁勻（圖 1），糖、鹽與水混合後，將剁勻的麵粉圍成麵牆把水倒入（圖 2），再把麵粉壓勻，麵糰醒約 15 分鐘。
2. 把麵糰用擀杖擀開成薄片，灑上鹽、蔥花及白芝麻，摺疊成三摺再擀，需重複三次（圖 3），最後灑上白芝麻切成方塊形（圖 4），置於烤盤上放進預熱的烤箱，以 149°C（300°F）烤 20～25 分鐘即可。

● 買回之芝麻先以篩子篩過，再以水洗淨，瀝乾水份放入烤箱內，以 176°C（350°F）烤約 20 分鐘，至水份烤乾，待涼後，以塑膠袋封好，每次使用時極為方便。

皮蛋叉燒酥

內皮材料：

低筋麵粉 100 公克　　　　　豬油 60 公克

外皮材料：

中筋麵粉 150 公克　　　　豬油 60 公克　　　　糖 1 大匙

溫水 $\frac{1}{4}$ 杯

內餡材料：

皮蛋 $\frac{1}{2}$ 個　　　　叉燒肉 200 公克　　　　紅葱頭 2 粒

糖 $\frac{1}{2}$ 茶匙　　　　蕃茄醬 1 大匙　　　　醬油 1 茶匙

蔴油少許　　　　太白粉少許

作法：

1. 內皮之材料混合均勻。
2. 外皮之材料揉成麵糰，至光滑狀醒約 20 分鐘。
   （其餘作法請參照 129 頁基本油酥皮作法。）
3. 皮蛋去皮切小丁（圖 1），叉燒肉切小薄片，鍋中熱少許油爆香紅葱頭末，放入叉燒肉拌炒一下，加入糖、醬油、蕃茄醬、蔴油，再以調水之太白粉勾芡，至濃稠狀（圖 2），調入皮蛋丁。
4. 作好之油酥皮分成 20 等份，擀成薄皮狀，包入內餡（圖 3），底部捏緊，放在烤盤上刷上蛋黃水（圖 4），以 149°C（300°F）烤約 25 分，烤好後刷上麥芽膏即可。

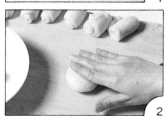

綠豆凸

材料：

基本油酥皮 1 份

內餡材料：

綠豆沙適量（約 300 公克）　　　絞肉 100 公克

紅葱頭 30 公克　　　　肉鬆少許

鹽、醬油、糖、胡椒適量　　　　芝蔴少許

作法：

1. 紅葱頭去皮、切末，以少許油爆香，加入絞肉炒至肉粒分離，加入調味料與芝蔴拌勻（圖 1），待涼，拌入肉鬆。
2. 綠豆沙分成 10 等份每份中間包入內餡，搓成圓球狀。
3. 油酥皮分成 10 等份（作法請參照 129 頁基本油酥皮作法）。
4. 擀好之油酥皮包入 1 粒內餡，包成圓球狀（圖 2），再以手掌稍微壓扁（圖 3），中間部份可用紅色色素點上四點（圖 4）。
5. 放入烤箱內，以 149°C（300°F）烤 25 分鐘。